꿈꾸는 기러기

이석훈(행담소)

https://brunch.co.kr/@passionlsh

두 남자아이를 키우고 있고, 우리 아이들을 위해 육아도 놓치고 싶지 않은 직장인 아빠입니다. 아이들의 추억 속에 제 조그마한 발자취라도 남기고자 육아휴직 후 캐나다로 떠납니다.

발 행 | 2024-05-02

저 자 | 이석훈(행담소)

펴낸이 | 한건희

펴낸곳 | 주식회사 부크크

출판사등록 | 2014.07.15(제2014-16호)

주 소 | 서울 금천구 가산디지털1로 119, A동 305호

전 화 | 1670 - 8316

이메일 | info@bookk.co.kr

ISBN | 979-11-410-8336-6

본 책은 브런치 POD 출판물입니다.

https://brunch.co.kr

www.bookk.co.kr

꿈꾸는 기러기

이석훈(행담소) 지음

CONTENT

가족들과 함께 했던 캐나다에서의 생활을 접고 나 홀로 귀국한 그 해 겨울은 유난히 추웠습니다. 그렇게 가족이란 함께 할 때 의미가 있다고 생각하던 사람이 기러기 아빠가 되었습니다. 아이들을 위해 의미 있는 결정이라고 계속 머리 속으로 되뇌이며 집으로 향하던 발걸음은 그렇기에 유난히 더 무겁게 느껴졌습니다.

처음에는 가족들과 떨어진 삶을 산다는 것이 저에게는 너무나 생소했기에 당혹스러웠습니다.

그러나 가족들도 캐나다에서 저 없이 열심히 삶을 살고 있는 상황에서 저 역시 시간을 헛되이 보내서는 안되겠다는 생각에 평소 생각했던 것들을 하나씩 하나씩 해 보기로 결심했습니다.

그래서 이 책에는 가족 없이 한국에서 저 혼자 생활하는 동안 겪었던 많은 일들 그리고 아이들 교육에 대한 고민, 이민에 대한 고민, 직장 생활에 대한 고민 등 그 동안 있었던 일들과 다양한 고민들을 담아보았습니다.

아울러, 지금 아이들을 위해 기러기의 삶을 살고 계신 많은 기러기 아빠들이 제 글을 보며 같이 공감하고 조금이나마 힘이 되기를 바랍니다.

기러기 아빠의 웹소설 작가 도전기

기러기 아빠의 좌충우돌 도전기

"

기러기 아빠가 된다는 것 상상만 했는데...

"

2021년 12월 우리 가족은 캐나다 밴쿠버로 이사를 갔다.

이민은 아니고 가족 사정상 2년 정도 잠시 살려고 간 것이다.

다만, 나는 육아휴직을 내고 따라 갔기에 올해 2월 나홀로 한국으로 귀국했다(글을 쓴 시기는 2023년이다)

말로만 듣던 기러기 아빠의 삶이 시작된 것이다.

더욱이 작년 우리 가족은 수많은 여행을 다녔는데, 그래서 인지 1년여만의 헤어짐은 가슴에 먹먹함을 선사해주기에 충분했다.

너무나 즐거웠던 캐나다 라이프&북미여행을 뒤로 하고, 귀국하던 날 그 날은 밴쿠버 공항을 눈물로 적셨다.

그렇게 생이별을 하고 한국 시간 2월1일 오후 6시 인천국제공항에 도착했다. 나는 혹시라도 가족들로부터 연락이 와 있을까 봐 비행기 안에서 부랴부랴 핸드폰을 켰다. 그런데 누군가로부터 문자가 와있었다.

'모레부터 회사에 출근하시는 것 맞죠?'

회사 팀장으로부터 온 문자였다.

사실, 가족과 함께 최대한 같이 있으려고 시차적응을 과감히 무시한 스케쥴이라 회사 복귀 이틀 전 저녁에 귀국을 했고, 팀장은 내가 귀국하는 날을 모르기에 문자를 무심히 보내 본 것이다.

그런 문자를 받는 것도 생소했지만, 모든 것이 너무 생소했다. 캐나다에 1년2개월 남짓 있었는데, 왜 그리도 한국의 모든 것이 생소하던지...

나는 그 순간까지도 저 바다 건너 캐나다에 가족들과 같이 내 몸과 마음이 머물고 있었던 것 같다.

생소함도 잠시 가족들이 돌아오기 전까지 머물기로 한 부모님 집으로 향했다.

십 년이 훌쩍 넘는 시간만에 다시 부모님 품으로 돌아간 것이다.

"

나도 이제 어엿한 소설가라구요

"

한국에 귀국한 후 한달도 채 안되는 시점에 수많은 도전을 시작했다.

모 뉴스 시민기자, 회사 내 어플 만들기 교육, PT, 모 정당 자문위원, 유튜브 편집 기술 배우기.

그 중에서도 나에게 있어 가장 큰 도전은 **웹 소설 작가에 도전**한 것이다.

그런데, 직접 집필을 해보니 웹소설은 연재를 시작하면 매일 새로운 편을 업데이트 해야 했다.

생각해봐라. 회식 날 저녁 9시에 집에 들어와 다음편을 써야 하는 그 기분.

더욱이 인기작가라 독자들이 작가님 다음편이 너무 보고 싶어요 하는 것도 아니다. 그냥 도전정신 하나로 버틴 것이다.

혹시라도 잠들 때면 다음날 새벽 5시에 일어나 소설을 썼다.

그렇게 고난의 시간을 보내며 결국 완결을 했지만, 영광뿐인 상처라고 할까. 1원 한 푼을 벌지를 못했다.

이런 이야기를 할 때면 주위에서 가끔 묻는다.

"아이들 없을 때 편하게 쉬지 왜 사서 고생을 해?"

그럴 때마다 나의 대답은 똑같다.

나중 우리 아이들에게 "아빠 한국에서 논거 아니야. 정말 열심히 살았어. 아빠도 이제는 소설가야"라는 말을 해주고 싶어서 이렇게 열심히 사는 거라고…

기러기 아빠의 나홀로 생일파티

가족없이 보내는 첫 생일

"

가족없이 보내는 내 첫 생일

"

내 생일이 되면 아이들은 내게 "아빠 사랑해요."라고 편지를 쓰고,

와이프는 케이크를 준비해 내 생일을 축하해 주고는 했다.

그렇게 내 생일은 항상 가족들과 함께 했었고, 가족없이 보내는 생일
은 상상조차 되지 않았다.

그런데 가족없이 보내는 내 첫 생일이 다가오고 있었다. 상상해 보지
않은 미래가 다가 오고 있는 것이다.

"그래 나는 기러기 아빠니까. 이 상황도 담담히 보내야겠다"

그렇게, 나는 기러기 아빠의 처량함을 맞이할 마음의 준비를 하고 있
었다

그런데 와이프에게서 갑자기 카톡이 왔다.

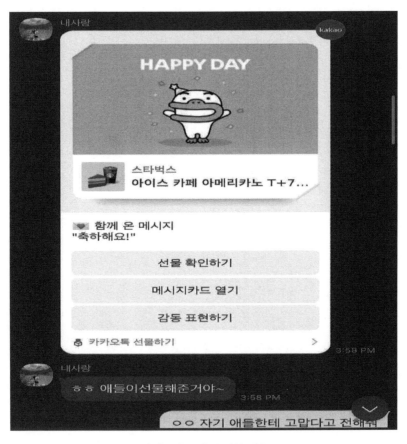

<와이프가 보내 준 카톡 내용>

아이들이 5달러씩 자기 용돈을 모아서 아빠 생일 선물로 커피쿠폰을 보내주라고 했다는 것이다.

"

아이를 키우는 재미란 이런 건가

"

아이들이 준비한 서프라이즈에 기러기 아빠가 가진 그 처량함과 쓸쓸함은 순식간에 내 머리 속에서 지워졌다.

그래서일까 내 책상 앞에 있는 사진 속 아이들이 나를 보며 말하는 것 같았다.

"아빠 생일 축하해"

그리고 그 주 주말에는 부모님과 처가 댁 식구들이 내 생일을 축하해주기위해 모였다.

가족들이 모두 모였을 때 때마침 아이들로부터 영상통화가 걸려왔다.

"아빠, 오늘 생일이지? 커피 마셨어?"

"아니, 아직 안 마셨어"

"우리 용돈으로 모은 거니까. 맛있게 먹어. 아빠 생일 축하해"

큰 아이, 작은 아이 할 것 없이 해 맑게 웃는 모습으로 나의 생일을 축하해줬고, 그 모습에 웃음이 절로 나왔다.

외롭게 보낼 거라 생각했던 내 생일이 가족들의 힘으로 다시 활기차게 변하는 순간이었다.

기러기 아빠의 골프 입문기

골프 레슨 수업

잠시 캐나다 가기 전 이야기를 해 보겠다.

캐나다에 가기 전 와이프와 이야기한 것이 있다.

이번 기회에 우리 노년에 같이 즐길 수 있는 운동을 배우자.

그래서 고심 끝에 정한 종목이 스키와 골프였다.

골프는 우리나라에서도 노년층이 많이들 하는 운동이고, 스키는 겨울에도 한 가지 정도 할 줄 아는 운동이 있었으면 해서 정한 것인데, 보드는 너무 위험해서 스키로 정한 것이다.

물론 우리 부부는 당시 골프와 스키를 모두 할 줄 몰랐다.

그래서 우리는 캐나다에 가자마자 인스트럭터를 구하려고 무단히 노력했다. 그런데 웬걸 한국말을 할 줄 아는 인스트럭터를 구하는 건 하늘에 별따기였고, 가끔 발견한 인스트럭터는 스케쥴이 풀로 차 있었다.

단언컨데, 이민을 생각하는 사람들은 한 두가지 운동을 반드시 익혀 가면 요긴하게 써먹을 수 있다.

그래도 결국 한인 인스트럭터를 구해서 우리 4가족이 모두 스키를 배웠다. 특히 캐나다는 스키장이 도처에 있었기에, 심할 때는 일주일에 3~4번씩 가서 스키를 탈 수 있었고 금새 실력이 늘 수 있었다.

여기서 한가지 놀랐던 사실이 있다.

나를 가르쳤던 인스트럭터가 이민 1.5세대의 고등학생이었다는 것이다.

만약 우리나라 고등학생이 스키를 가르치고 있다면 그건 체대 준비생이거나 대학은 포기한 학생이라고 치부 당했을 것이다.

그러나 캐나다는 대학 입시 때 SAT만으로 합격 여부를 결정짓지 않는다. 봉사활동, 예술, 운동 등 여러가지 항목을 종합평가해서 합격여부를 결정짓는다.

그래서 캐나다에서는 자원봉사를 하는 고등학생이나 인스트럭터를 하며 자기 스스로 용돈을 버는 고등학생들을 쉽게 볼 수 있다.

그러니 당연히 아이들의 얼굴도 해맑다. 스트레스에서 어느정도 해방되어 있는 것이다.

그렇게 스키를 배운 우리 가족은 나름 중급자 코스에서도 스키를 탈 수 있게 되었고, 나중에는 우리 가족끼리 스키장에서 몇 시간씩 시간을 보낼 수도 있게 되었다.

참고로, 캐나다의 스키장은 자연설(雪)로서 그냥 언덕에 눈이 쌓인 상태 그대로 유지된다. 그래서 다량의 BUMP가 존재하고 그 BUMP를 스키폴로 찍으며 타는 재미가 상당하다. 이는 한국 스키장에서는 느끼기 어려운 재미이다.

<캐나다 스키장에서 스키를 타는 우리가족>

그런데, 문제는 스키가 아니다.

바로 그 놈의 골프다

바보야 문제는 골프야

사실, 우리 부부는 캐나다로 떠나기 3개월 전 한국에서 부랴부랴 레슨을 배웠다. 이는 호주에서 3년을 생활한 내 친구의 조언이 한몫 했다.

캐나다를 가는데 골프를 안친다는 건 말이 안되니 지금 당장 골프를 배우라는 것이었다.

그래서 우리부부는 근처 골프연습장에 등록해 부랴부랴 골프를 배웠다.

<캐나다 골프장에서 곰만 실컷 봤다>

그렇게 어설프게 배웠으니 제대로 골프를 칠리가 없다.

공이 맞다가 안 맞다가 들쑥날쑥했다.

그렇다고 캐나다까지 와서 필드를 나가지 않을 수는 없었다.

결국 우리 부부는 이를 강행하기로 하고, 도보로 갈 수 있는 동네 골프
장을 예약했다.

그런데, 하필 백인 할아버지 2분과 한 조가 됐다.

우리 부부는 제발 이 분들이 골프를 잘 못 치기를 빌었다. 우리가 그
분들에게 방해가 되지 않기를 바랬기 때문이다.

그러나 바램과 달리 이 분들은 너무나 잘 쳤고, 결국 우리는 12홀까지
친 후 게임을 중도 포기했다.

그런 일이 있은 후 와이프는 캐나다에서 골프 레슨을 받기로 하고, 힘
들게 한인 인스트럭터를 찾아 배우기 시작했다.

나는 캐나다 인건비가 너무 비싸 한국에 귀국해서 레슨을 받기로 했
다.

그렇게 기러기 아빠가 된 후 와이프로부터 기쁜 소식이 들렸다.

얼마 전 같이 골프레슨을 듣는 이민자 분이 있는데 그분과 같이 필드
를 나갔다고 한다.

그런데, 골프를 치고 온 와이프의 한 마디

"

자갸 드디어 골프가 재밌어

"

드디어 감을 잡기 시작한 것 같다.

항상 골프가 어렵다며 힘들어 했는데, 그래도 골프를 조금씩 조금씩
좋아하는 것을 보니 내 마음도 나름 흐뭇했다.

그런데 문제는 나다. 사실 한국에 온 이래로 골프를 쳐야 한다는 강박
관념만 있었다. 상반기에 PT를 배우긴 했는데, 이 핑계 저 핑계 대며
계속 골프 레슨을 미루기만 했다.

그래서 부랴부랴 골프 레슨을 받을 수 있는 곳을 찾아 등록했다.

그렇게 한국에서의 골프레슨이 시작되었다. 그러나 항상 느끼는 거지
만, 골프는 정말 어려운 운동이다.

그리고, 내가 골프를 배우는 또 하나의 목적이 있는데, 캐나다에 가기

전 급하게 골프를 배울 때 내 인스트럭터가 나에게 했던 말 때문이다.

"

골프 제대로 배워봐. 나이 들어 이것만한 게 없어

"

이게 무슨 말이냐 하면, 나이 들어 골프장 하나 차려놓고 티칭 자격증 하나 가지고 있으면 노후 해결이라는 것이다.

그때는 흘려 들었지만, 캐나다나 한국에서 골프를 배우려 하다 보니 인스트럭터가 생각보다 구하기 힘들었다. 그리고 구했다 치면 레슨비가 생각보다 비쌌다. 그래서 지금은 나중에 골프 티칭 자격증을 따보고 싶다는 생각이 드는 것이 사실이다.

그래서 티칭 자격증을 알아 본 바로는 싱글(18홀 한 게임에 72타 + Max. 9타를 치는 것)을 치면 티칭 자격증을 딸 수 있다.

티칭 자격증을 딸 수 있는 방법은 미국 공식 골프 경기에 나서거나(이

건 불가능해서 패스), 한국 생활체육지도사를 따거나 US GTF KOREA에서 테스트를 통과하는 방법이 있다. 이 중 내가 노리는 건 US GTF KOREA 테스트 통과다.

물론 얼마나 걸릴지는 모른다. 지금의 내 실력을 보면 가능한지도 자신이 없다. 그러나 포기하지 않으면 언젠가 기회가 오지 않을까.

기러기 아빠의 여름휴가

여름휴가 때 가족을 만나러 캐나다에 간 이야기

기러기 아빠를 하기로 마음 먹는 순간 나의 여름휴가와 겨울휴가의 행선지는 모두 캐나다로 정해졌다. 그래도 좋다. 왜냐하면 사랑하는 나의 가족이 거기에 있기 때문이다.

내가 아는 기러기 아빠는 회사에서 팀장의 직책을 맡고 있어 장장 10시간에 걸쳐 캐나다에 도착한 후에도 고작 일주일 밖에 그 곳에 머물지 못하는데, 나는 회사에서 특별히 맡고 있는 직책이 없어 몇 주 동안 그 곳에 머무를 수 있다.

"

캐나다로 가기 위한 여정이 시작되었다

"

여름휴가를 캐나다에서 보낸다고 하면 주위 사람들은 부럽다고 하지만, 사실 캐나다까지 가는 비행기표도 비싸고, 왕복 20시간 정도를 비행기 안에서 보내야 하기에 고생이 이만저만한 게 아니다.

그래도 가족들이 그 곳에 있기에 만나러 가는 발걸음은 너무나 가벼웠다.

그렇게 긴 시간(공항 대기시간 4시간 + 비행기 시간 10시간)을 보내고 난 후 나는 캐나다에 도착할 수 있었고, 긴장되는 입국 수속을 마치고 나서야, 그리웠던 캐나다의 공기를 한껏 마실 수가 있었다.

그러나 이런 여유를 부리는 것도 잠시 나는 곧바로 우리 큰아이가 다니는 초등학교로 향해야 했다. 내가 도착한 날이 바로 아이의 talent show(그냥 장기자랑이라고 생각하면 된다)가 있었던 날이기 때문이다. 우리아이는 바이올린을 초등학교 1학년 때부터 배웠는데, 이 날 우리 아이는 바이올린을 연주한다고 했다.

참고로, 우리가 캐나다 밴쿠버에서 생활한 곳은 포트코퀴틀람이라는 곳인데, 밴쿠버에서도 약간 외진 곳이다. 그러다 보니 한인이 별로 없고, 캐네디언들도 학구열이나 교육열이 덜하다. 그래서 그 곳에서 바이올린을 켤 줄 안다고 하면 완전 스타였다.

나는 공항에서 부랴부랴 택시를 잡아타고 아이의 초등학교로 향했지만, 아이 학교가 공항에서 상당한 거리가 있던 관계로 내가 도착했을 때는 이미 아이의 장기자랑은 끝이 났을 때였다. 결국 나는 와이프의 동영상을 보며 그 아쉬움을 달래야 했다.

〈talent show에서 바이올린을 연주한 아들〉

❝

가족을 다시 만난 건 5개월만이었다

❝

작은 아이가 나에게 뛰어와 안긴다. 큰 아이는 그런 나를 보며 씨익 웃는다. 어쭈 이제는 다 컸다 이거지? 이런 생각도 잠시. 캐나다에서 알게 된 지인들이 나를 보며 한마디씩 한다.

"오랜만이에요"

"살이 많이 쪘네. 가족들이 없으니 편했나 봐"

오랜만에 가족들과 지인들을 보니 그 동안의 그리움이 싹 씻겨 나가는 것 같았다. 그렇게 나의 밴쿠버 라이프는 다시 시작되었다.

그리고 이번 여름휴가에서 가장 기대했던 이벤트날이 다가왔다.

우리 큰 아이의 초등학교 졸업식이 다가온 것이다.

참고로, 캐나다 초등학교는 5년제와 6년제가 있으며, 이는 지역 교육청의 재량이다.

우리는 고심 끝에 아이가 캐나다에서 초등학교도 졸업해보고, 중학교도 입학해보기를 바랬기에 5년제 초등학교에 입학시켰다.

그래서 우리 아이는 초등학교 5학년을 마치고 캐나다 초등학교를 졸업했다.

내가 본 캐나다의 졸업식은 엄숙한 것과는 달랐다.

그야말로 축제 그 자체였다. 아이들이 노래에 맞춰 춤을 추고 행진을 한다. 교장선생님과 담임선생님이 아이들 하나하나와 함께 사진을 찍는다. 한국의 졸업식과는 사뭇 달랐다.

<교장, 교감, 담임선생님은 졸업식날 졸업생 한 명 한 명과 함께 사진을 찍는다>

그날 아이들의 졸업식을 마치고 초등학교 내 얼마되지 않은 한국인 가족들이 단체로 캠핑을 갔다.

캐나다의 캠핑장은 보통 한국과 달리 편의시설이 별로 없다. 그러나 근처에 캐빈이 있는 얼마 안되는 캠핑장이 있고, 이 곳은 한국인이나 중국인 가족들로 문전성시를 이룬다.

더욱이, 내가 오는 날짜에 맞춰, 캠핑날짜를 잡았다고 하니 여간 고마운 일이 아니었다. 특이한 것은 이번 캠핑에는 아빠들도 전부 참석을 했다는 것이다.

캐나다에서 1년 남짓 살았는데, 이렇게 아빠들 모두가 참석한 캠핑은 처음이었다.

요리사인 아빠, 통닭집을 운영하는 아빠 모두가 바쁜 일상을 뒤로 하고 그날만큼은 아이들 이야기로 화기애애했다.

그 중 이민 1.5세대이며 직업이 요리사인 아빠와는 새벽 3시까지 이야기를 했다.

그 아빠는 한국에서 일한 적이 있었는데, 한국 사회의 그 숨막히는 경쟁이 싫다고 하셨다. 나 역시 우리 아이들이 살아가야 할 사회에 대한 고민이 깊었기에 그 말이 가슴에 와 닿았다.

"

야구코치가 무조건 나보고 잘했대요

••

캐나다를 떠나기 전 나는 와이프에게 아이들을 야구클럽에 가입시켜 보는 게 어떻겠냐고 말한 적이 있었는데, 진짜 와이프는 내가 떠난 이후 아이들을 야구클럽에 가입시켰다. 그리고 나는 운이 좋게 아이들의 마지막 경기를 볼 수 있었다.

특히, 우리 큰 아들은 포수로, 작은 아들은 투수로 나름 활약을 했는데, 작은 아들이 속한 팀은 리그 우승까지 해서 우승메달을 받았다.

그런데, 내가 야구경기를 보면서 한국과 다른 점을 발견했다. 무조건 코치들이 아이들을 칭찬하는 것이다. 헛스윙을 해도 굿스윙, 공을 지켜보고 있으면 굿아이 모든 게 굿이었다. 그러니 아이들이 자신감을 가지지 않을 수가 없었다.

그리고 경기가 끝나면 서로 토론을 했다. 무엇이 문제인지, 어떻게 해야 이길 수 있을지를 아이들과 서로 이야기했다.

한국에서는 보기 어려운 문화였다.

그리고 마지막 경기가 끝난 날 저녁 아이들과 코치들은 피자집에 모여 추억을 되새겼다. 코치들이 아이들 하나 하나를 호명하며 장점들을 이야기해주었다. 정말 부러운 문화였다.

<큰아이 야구경기 마지막날 학무보들과 코치가 저녁에 함께 모여 저녁식사를 했다>

또한, 둘째 아이에게는 백인 베스트 프렌드가 있다. 그 아이는 샤이한 아이였는데, 어찌된 건지 둘째 아이와 코드가 맞았다.

그래서 야구클럽도 같이 하게 되었는데, 마지막 경기에서 둘째 아이의 맹활약으로 우승을 한 뒤 그 친구와 사진을 찍었다.

캐나다에는 플레이데이트라는 문화가 있는데, 쉽게 말해 같이 어울려 노는 것이다.

우리 둘째 아니는 그 친구와 플레이데이트도 여러 번 했다.

<우승 후 메달을 걸고 베스트 프렌드와 사진을 찍은 둘째 아이 >

캐나다는 캠핑의 천국

이번 휴가에서 나는 가족들과 함께 포트코브에 갔다.

포트코브는 BC주에 있는 주립공원으로 저녁노을이 이쁘기로 유명하다.

<포트코브의 저녁노을은 정말 이뻤다>

내가 여름휴가로 캐나다에 도착했을 때 와이프가 했던 말이 있다.

"캠핑이 너무 가고 싶었는데, 나 혼자라 가지 못해서 많이 아쉬웠어"

많은 사람들이 아는 것처럼 캐나다는 캠핑의 천국이다.

그러나 두 말썽꾸러기들을 데리고 여자 혼자 캠핑을 간다는 것은 쉽지 않았을 것이다.

그래서 나는 와이프가 내가 캐나다에 오기 한 참 전부터 예약한 포트코브로 향했다.

참고로 캐나다 역시 캠핑사이트 예약은 치열하다. 예전에는 그렇게 까지 치열하지 않았는데, 요즘 캐나다에는 경쟁 문화에 익숙한 동양인 유입이 늘어 나면서 1초 컷, 5초 컷이 생겨나고 있다. 그래서 와이프 역시 상당한 경쟁률을 뚫고 이 곳 포트코브에 예약을 했다고 한다.

우리 가족은 그 곳에서 텐트를 치고 그릴링을 해서 점심을 먹었다. 그리고 텐트를 친 옆쪽 공터에서 아이들과 실컷 공을 차며 놀았다. 얼마나 아빠와 이렇게 놀고 싶었을까 하는 생각에 몸을 불살랐던 것 기억이 난다. 아이들 역시 나름 야구클럽에서 갈고 닦은 실력을 마음껏 발휘했다.

그리고 하이라이트인 저녁노을이 짙게 깔린 초저녁.

포트코브의 저녁노을은 너무나 이뻤다. 우리 가족은 그 노을을 지켜보며 서로의 손을 꼭 잡았다.

66

캐나다의 캐리비안베이

66

캐나다에도 캐리비안베이 같은 Water park가 있다.

다만, 우리나라의 캐리비안 베이에 비하면 규모 등에서 차이가 난다.

이런 곳을 방문할 때 주의할 점은 생각보다 주차장이 많지 않다는 것
이다. 캐나다는 땅이 크지만, 무분별하게 자연을 파괴하는 것을 지양
해서 주차장을 많이 만들지 않는다.

우리 가족도 이 곳에 방문하기 위해 Water park에서 거리가 좀 먼 곳
에 주차를 하고 Water park까지 걸어갔다.

그 곳에 들어가자 마자 아이들은 신나서 이곳 저곳을 뛰어다녔다.

참고로, 캐나다는 수영을 배울 때 3M 풀에서 수영을 가르친다. 그래
서 발이 닿지 않는 곳에서도 아이들이 수영하는 것을 전혀 두려워하
지 않는다. 우리 아들들도 이 곳에서 수영을 배웠기에 물이 깊어도 전
혀 거리낌이 없다.

우리 아이들이 제일 좋아하는 놀이기구는 Water slide다. 다양한 종
류의 slide를 타고 나니 반나절이 훌쩍 지나갔다.

<캐나다 Water park는 우리나라에 비해 크거나 화려하지는 않다>

해가 뉘엿뉘엿 지려고 하니 날씨가 서늘해 지기 시작했다.

우리는 지친 몸을 이끌고 집으로 향했다. 그러나 마음은 그 어느때보다 가벼웠음은 말할 필요가 없다.

"

7월1일은 캐나다데이

"

7월1일은 캐나다 데이인데, 그날은 모든 이들이 축제를 즐긴다. 폭죽도 터트리고 아이들이 즐거워할만한 행사도 많이 한다.

우리 가족은 근처의 행사장에 도착해 미니골프, 말 타기, 거품놀이 등을 즐겼다.

〈캐나다 데이날 행사장에서 거품놀이가 한창이다〉

또한, 캐나다 데이에서는 무료로 나눠주는 아이템들이 많은데, 캐나다 국기, 캐나다 뱃지, 풍선 등을 얻을 수 있다.

또한, 곳곳에서 퍼레이드도 하는데, 우리나라처럼 훈련된 전문가들이 퍼레이드를 하는 것이 아니라 동네 클럽 회원들이 삼삼오오 모여 퍼레이드를 한다. 그러나 그 끝이 어디인지 모를 정도로 행렬이 상당히 길어 동영상으로 한번에 담기에는 쉽지 않다.

여기가 김연아가 금메달을 땄던 휘슬러야

휘슬러는 김연아가 2010년 동계올림픽에서 금메달을 딴 곳이다. 그러기에 사람들은 휘슬러는 겨울에 가기 좋은 곳으로만 알고 있다.

그런데, 휘슬러는 여름에도 재미있는 프로그램들이 많다.

산악자전거를 타는 곳이 있어 많은 사람들이 산악자전거를 타러 휘슬러에 몰려온다.

그리고, 짚라인과 케이블카가 있다. 우리 가족은 휘슬러에서 짚라인을 탔는데 정말 가파른 계곡에서 거의 반나절을 탄다. 초등학교 저학년의 어린이의 경우 인솔자가 같이 매달고 타기에 걱정할 것이 없다. 다 탈 때 쯤에는 어둠이 짙게 깔리는데 휘슬러의 야경을 짚라인에 매달려 볼 때면 이 곳이 얼마나 아름다운 곳인지를 느끼게 된다.

산 한가운데 있는 3개의 호수

이번 여름휴가에는 드디어 말로만 듣던 Joffre lakes를 갔다.

Joffre lakes는 low lake, middle lake, upper lake로 이루어져 있는데, 산 속에 호수가 있다. 등산로가 험해서 힘들다는 말을 많이 들었다.

우리 부부야 성인이니 상관이 없다지만, 아이들이 험한 등산로를 견딜 수 있을지 걱정이 되었다.

그래도 여기까지 와서 이 곳을 안 갈 수는 없었다.

Low lake는 산에 들어서자 마자 나타났다. 여기까지는 갈만했다.

문제는 다음이다. 꼬불꼬불한 산길을 따라 한참을 올라갔다. 땀이 비오 듯하고 숨이 차 올랐다. 내려오는 사람들한테 얼마나 남았냐고 물어보면 모두 얼마 안남았다고 했는데, 결국 몇시간을 걸어 올라갔다.

그리고, 그 모습을 드러낸 Middle lake.

산 한가운데 어떻게 저렇게 큰 호수가 생길 수 있는건지 의문이었다. 더욱이 호수의 색은 에메랄드색이었다. 우리 가족은 그 곳에서 잠시 숨을 골랐다. 항상 느끼지만 캐나다의 자연은 경이롭다. 아이들도 징징대던 모습은 사라지고 그 신선한 바람과 에메랄드 색의 호수 그 자체를 즐겼다.

그렇게 어느정도 쉬고 나서, 우리는 다시 자리에서 일어났다.

멀지 않은 곳에 있는 Upper lake로 가기 위해서였다.

천근만근인 다리를 이끌고 우리는 좀 더 높은 곳으로 향했다.

그래도 Middle lake 만큼 길이 험하지는 않았다.

얼마를 걸었을까. 드디어 Upper lake가 그 모습을 드러냈다. Upper lake는 Middle lake보다 그 규모는 작았다. 그러나 좀 더 위쪽에 위치한 관계로 서늘한 기운이 감돌았다. 더욱이 캐나다의 산은 만년설이 많다. 여름이었음에도 불구하고 눈이 아직도 산 위에 남아 있을 정도로 산 위쪽은 초겨울의 날씨였다.

Upper lake까지 오고 나니 산행의 피로가 몰려왔다. 그러나 이런 풍경을 언제 다시 볼까. 우리 가족은 연신 사진을 찍고 즐거운 시간을 가졌다.

<joffre lakes upper lake>

Joffre lakes를 마지막으로 나의 모든 캐나다 일정은 끝이 났다.

그리고 이별의 시간

두번째 이별이다. 밴쿠버공항에서 또 한번의 눈물의 이별을 마치고 나는 다시 기러기 아빠로 돌아왔다.

캐네디언이 되겠습니까?

이민설명회를 다녀와서

"

이민을 가는 게 맞을까?

"

캐나다에 가기 전 나에게 캐나다 이민은 인생플랜에 전혀 없었다.

나도 와이프도 지금 안정된 직장을 다니고 있었고, 나이도 적지 않은 지금 굳이 왜 남의 나라에서 처음부터 모든 것을 다시 시작하겠는가

그런데 캐나다에서 살아 본 지금은 마음이 변했다.

그곳에서 본 청소년들의 얼굴이 우리나라 청소년들의 그것과는 사뭇 달랐기 때문이다. 난 캐나다에서 생활하면서 몇몇의 중고등학생들을 만나보았다.

우리 아이의 영어를 가르쳤던 중학생, 우리 가족의 스키를 가르쳤던 고등학생, 그 외 곳곳에서 자원봉사를 하는 고등학생들.

내가 만나 본 그 곳의 아이들은 몇 가지 특징들을 가지고 있었다.

첫째, 독립성이다.

집이 가난하지도 않았는데 모두들 자기 용돈을 벌기 위해 과외를 하고, 스키강사를 했다. 그렇다고 공부를 포기한 아이들도 아니었다.

우리 아이의 영어를 가르쳤던 중학생은 과외를 가르치며 유도대회도 나가고 공부도 열심히 하는 학생이었다.

우리 가족의 스키를 가르쳤던 고등학생은 스키를 가르치며 번 돈으로 자기가 갈 대학의 등록금을 모으고 있는 중이었다.

모두가 청소년 시절부터 독립성을 배우고 있는 것이며, 이는 성인이 되어서도 부모에게 의존하는 지금의 우리나라 아이들과 비교가 되는 대목이다.

둘째, 봉사정신이다.

캐나다는 초등학교 고학년이 되면 저학년을 돌보게 하며 사회에 대한 공헌과 봉사정신을 가르친다.

물건을 살 때면 항상 Donation 여부를 묻는다.

수영장이나 아이들 캠프를 가도 청소년들이 사람들을 돕고 있다.

이런 모습을 보며 나는 욕심이 생겼다. 우리 아이들도 이렇게 살았으면 하는 욕심이다. **그래서** 한국에 돌아온 후 이민에 대한 정보를 모았다.

"

그러다 이민 세미나에도 참석하게 되었다

"

<드디어 오프라인 이민 세미나에도 참석하게 됐다>

영주권을 받기위해 한국사람들이 많이 하는 방식 중 하나가 한인 마트에서 MEAT CUTTER(고기 써는 일)를 하거나 Agri food(고기가공)를 하는 것이다.

그걸 1년 정도 하고 영주권 신청에 들어가면 6개월에서 1년 정도 후에 영주권이 나온다.

요즘은 그 방식도 쉽지 않아서 점점 밴쿠버 같은 도시가 아닌 일손이 모자라는 시골로 가는 추세다.

그렇게 힘든 여정임에도 많은 한인들이 아이들의 행복을 위해 이민길에 오르고 있다.

캐나다에서 만난 목사님 역시 원래 신학대학원만 졸업하고 한국에 돌아가려 했으나 아이들 때문에 캐나다에 남기로 결정하시고, 한인 마트에서 일을 하고 있다.

정작 본인은 한국을 그렇게 좋아하셨는데 말이다.

난 아마 향후 2년간 이민 문제 때문에 상당한 고민을 할 것 같다.

이 문제를 보기 좋게 풀어 냈으면 좋겠다.

당신은 아이를 믿나요?

아이가 당신에게 거짓말을 할 때

얼마 전 캐나다에 있는 와이프에게 전화가 왔다.

큰 아이 때문에 속상하다는 것이었다.

큰 아이가 또 엄마 몰래 패드로 동영상을 보다 걸렸다고 한다.

우리는 아이들의 패드 이용시간에 제한을 두고 있는데,

큰 아이가 가끔은 엄마 몰래 패드로 동영상을 보다가 걸리곤 한다.

나는 한국에 있고, 가족은 캐나다에 있기에 내가 할 수 있는 것은 아무 것도 없다. 그러기에 그 무기력함에 마음이 더 힘들었다.

고작 그런 것에 너무 과민 반응하는 거 아니냐고 하는 사람들도 있을 것이다. 그러나 아이들이 조금이라도 더 잘되기를 바라는 마음에 팔 자에도 없는 기러기 아빠를 하고 있는 나에게 그러한 작은 충격은 너 무나 크게 다가왔다.

이후 며칠은 기분이 무척이나 좋지 않았다. 와이프도 나의 그런 마음 을 눈치 챘는지 아이들이 요즘은 말을 조금 잘 듣는다는 말을 해주었 다. 그러던 어느 날 와이프가 한 장의 사진을 보내주었다.

푸른 하늘 속에 날아오르는 비행기 그리고 그 비행기를 바라보는 아 이들의 사진이었다.

아이들이 캐나다에서 하는 에어쇼를 보러 간 것이다.

〈캐나다에서 아이들이 에어쇼를 보고 있다〉

그 모습을 보니 우리 가족이 캐나다에서 잘 지내고 있다는 안도감과 함께 한편으로는 와이프의 고생이 느껴졌다.

그래서일까 그동안의 답답한 마음이 조금은 위로가 되는 기분이었다.

그때 문득 그런 생각이 들었다. 아이들이 나를 힘들게 할 때 조차도 나는 아이들을 믿어줄 수 있을까.

그러나, 그런 믿음을 주지 못한다면 아이는 많이 위축되고 더 많은 거짓말을 하겠지. 결국 그것은 낮은 자존감으로 이어질 것이다.

나 역시 자존감이 낮다는 말을 많이 들었다.

그러기에 나는 우리 아이들을 자존감이 높은 아이로 키워주고 싶었다.

그러나 그러기 위해서는 부모인 내가 아이들을 많이 믿어줘야 한다.

잘 할 수 있겠지. 그런 고민에 나는 오늘도 머리가 지끈지끈 아프다.

아무래도 오늘 밤도 두통약을 먹고 잠자리에 들어야 할 것 같다.

나는 오늘도 일탈을 꿈꾼다

기러기 아빠의 N잡러 이야기

"

나는 평범한 직장인이지만, 그게 너무 싫었다

"

그 이유는 간단하다. 뻔한 월급, 뻔한 업무, 뻔한 일상.

여기에 도취된다면 더 이상 능력의 발전은 없다고 생각한다.

이는 노후와도 연계된다. 회사원으로서만 살다 퇴직 등의 사유로 월급이 끊기면 통상 사람들은 본인이 평소 하던 일보다 월급이 낮은 일들을 찾아 나선다. 그리고 이에 맞춰 삶의 질도 급격히 낮아진다.

그러다 보니 많은 노인들이 질 낮은 일을 할 수밖에 없는 구조이다.

더욱이, 우리나라는 연금으로만 생활이 불가능한 나라이며, 그러한 연금마저 나 때는 받을 수 있을지 조차 불확실한 상황이다.

그래서 아직은 젊을 때 자립할 수 있는 능력치를 올리고 싶었다.

그러던 중 기러기 아빠가 된 것이다. 기러기 아빠의 장점은 내 시간을 가질 수 있다는 것이다. 그래서 N잡러의 시간을 가져 보기로 했다.

2022년 잡코리아 설문 기준으로 직장인 부업 1등은 블로그이다. 즉, 많은 직장인들이 글을 써서 돈을 벌고 있는 것이다. 나 역시 문과를 나왔고, 회사에서도 글을 쓰는 업무를 하고 있다.

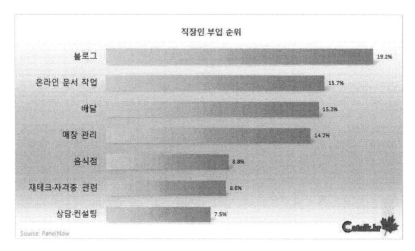

<2022년 기준, 잡코리아 설문조사>

그래서 브런치, 블로그, X(구 트위터) 등에 도전하기로 했다. 블로그에 재테크 공부한 내용을 정리해서 올리고, 브런치에 기러기 아빠 이야기를 올렸다. X(구 트위터)에는 재미있는 이야기나 재테크 상식 등을 올렸다. 그렇게 조금씩 조금씩 팔로워나 이웃들이 늘어나기 시작했다.

❝

내가 되고 싶은 건 소설가다

❝

내가 글쟁이로서 정말 하고 싶은 건 소설가이다. '재벌집 막내 아들'을 쓴 산경 작가도 처음에는 직장인이었다. 퇴근해서 웹소설을 쓰기 시작했고, 결국 소설이 큰 인기를 얻으며 회사를 그만두고 전문 작가가 된 것이다. 나 역시 예전부터 소설을 쓰고 싶었기에 웹소설에 도전하기로 했다. 그러나 소설은 재테크 정리 글이나 에세이와 그 결을 달리한다. 상상력이 풍부해야 되고, 그 상상력을 하나의 일관된 스토리로 만들어내야 한다.

그래도 한번 도전해보기로 했다. 무턱대고 소설전문 플랫폼에 소설 1회분을 연재해버렸다. 그런데 문제가 생겼다. 다른 웹소설 작가들을 보니 매일 한 회분씩을 연재하는 것이다. 나도 처음에는 그렇게 해보려고 회식날에도 새벽 3시까지 다음회를 써서 올렸다.

그렇게 겨우겨우 버티던 내가 무너진 건 여름휴가였다.

캐나다로 여름휴가를 갔는데, 와이프가 짜 놓은 스케줄을 소화하며 도저히 1일 1회 작품을 업로드할 수가 없었다.

결국은 여름휴가가 모두 끝나고 몇 주만에 작품을 업로드하였고, 급마무리를 했다.

최초에 생각했던 분량만큼 쓰지는 못했지만 미숙하게나마 첫 작품의 마지막회를 썼다는 것에 만족해야 했다.

아이들 운동만 시키다 결국...

기러기 아빠의 아이들 고민

당연히 이민오시는 거죠?

내가 한국으로 돌아가기 며칠 전 캐나다로 이민을 오신 아이들 바이올린 선생님이 내게 이민 여부를 물어보았다.

"네? 고민 중이긴 한데, 갑자기 왜요?"

전에 이민에 대한 고민으로 선생님에게 고민을 털어놓은 적이 있긴 했지만 갑자기 진지하게 물어보시는 선생님 표정에 당황스러웠다.

"아이들 교육 방식이 여기 캐나다 이민자들하고 비슷해서요"

처음에는 그게 무슨 의미인지를 이해하지 못하는 우리를 보고 선생님은 계속 말을 이어 나갔다.

"돌아가실 분들은 여기 캐나다에서도 매일 밤 늦게까지 아이들 공부를 시키는데, 안 그러시는 것 같아서요"

그제서야 우리는 선생님 말의 의미를 이해했다.

맞다. 1년 반 동안 캐나다에 계시는 우리 지인도 아이를 밤 10시까지 매일 공부시킨다고 했다. 그럴 때면 우리도 걱정이 되었던 것이 사실이다.

그래도 여기까지 와서 공부만 시키는 게 맞나라는 생각에 결국은 아이들에게 운동을 많이 시켰고, 여행이나 캠프에 참가시켜 다양한 경험을 쌓게 해주었다. 또한 자연에서 할 수 있는 다양한 경험들을 시켜 주었다.

그런 모습이 선생님에게는 이민 예정자로 보였던 것 같다.

<캐나다에서 우리 아이들은 물고기도 잡고 즐거운 시간을 보냈다>

"

한국에 돌아온 지금 다시 이 문제에 대해 고민이 된다

"

한국에 돌아와서 회사 사람들과 아이들 교육에 대해 이야기를 나누다 보니 잊고 있던 한국의 교육현실을 다시금 깨닫게 되었다.

그런 상황에서 캐나다에 있는 가족에게 전화를 할 때면 아이들은 여전히 운동을 하고 있거나 TV를 보고 있을 때가 많았다. 그러자 나는 캐나다에 있을 때는 없던 걱정과 불안감이 생겼다.

돌아오면 3학년, 6학년인데, 아이들이 잘 적응할 수 있을까?

한국은 자리에 가만히 앉아서 선생님 말만 듣는 주입식 교육인데, 아이들이 참고 견딜 수 있을까?

그런 걱정과 고민으로 시간을 보낼 때면 이민에 대한 생각이 다시 고개를 든다. 그래서 이민에 대한 정보를 찾아보고 우왕좌왕 할 때면 문득 이런 생각이 든다. 우리 아이들이 한국의 교육에 잘 적응할 수 있지 않을까. 내가 너무 아이들을 못 믿는 건 아닐까.

그래 우선은 아이들이 한국에 돌아와서 어떻게 하는지를 지켜보고 결정하자. 그게 내가 내린 최종 결정이다.

그때는 맞고 지금은 틀리다

시대의 변화를 보며

기러기 생활을 하는 동안 나는 어머니와 함께 살기로 하였다. 그러다 보니 그 이전과 달리 나는 어머니와 대화할 시간을 많이 갖게 되었다.

66

그러던 중 요즘 세태변화에 대한 이야기가 나왔다

66

내가 어릴 때 봤던 영화 중 문성근, 김희애 주연의 101번째 프로포즈라는 영화가 있다. 남주가 여주를 엄청 쫓아다녀 사랑을 쟁취한다는 내용이다. 당시에는 그게 사랑이고, 남자의 용기라고 치부되었기에 '백 번 찍어 안 넘어가는 나무 없다'는 속담도 있었다.

그러나 요즘시대라면 어떨까. 남주는 스토킹 범죄자로 경찰에 체포될 것이다. 좀 과한 부분이 있긴 하지만, 요즘에 싫다는 이성을 저렇게 쫓아다니다 가는 큰일난다. 백 번 찍어 안 넘어가는 나무가 없는 게 아니라, 백 번 찍다 인생 골로 간다.

그만큼, 이제는 한쪽의 일방적인 강요가 아니라 서로 간의 의견존중 및 의견합치가 중요한 시대가 됐다.

회사 이야기로 넘어가보자.

내가 과장일 때까지만 해도 팀장은 무소불위의 권력을 휘두르는 사람이 많았다. 막말하는 사람, 이유 없이 소리지르는 사람, 업무와 무관한 일을 시키는 사람, 회식을 매일 강요하는 사람 등 윗사람에게 잘 보이기 위해 아랫사람에게 무한 희생을 강요했다.

그러나 지금은 시대가 변했다. 사회가 카리스마형 리더보다는 참여형 리더를 더 원한다. 이제는 팀장들이 무소불위의 권력을 휘두르는게 아닌 팀원들의 눈치를 보고 팀의 융화를 위해 힘써야 한다. 그러다 보니 팀장들도 이제는 힘든 직책이 되었다.

문득, 캐나다에 있을 때 지인이 했던 말이 생각났다.

"캐나다는 팀장을 별로 하고 싶어하지 않아. 권한도 없는데, 조직 관리하는 업무만 추가되거든"

우리나라도 점점 이렇게 변해가고 있는 것이 아닐까 하는 생각이 드는 요즘이다.

우연과 운명의 알고리즘

캐나다 지인을 알게 된 이야기

> "

나는 우연히 사람을 만나서 그 사람과 인연을 맺는다

> "

지금 내 옆에서 나와 함께 하는 내 와이프도 우연히 알게 된 분의 소개로 만났는데, 캐나다에서 알게 된 지인도 그렇게 우연히 알게 되었다.

캐나다로 가기 전 나는 인터넷 검색을 통해 캐나다 현지 통신대리점과 연락을 하였다. 그 대리점은 한인이 운영하는 곳인데, 나는 그곳을 통해 eSIM을 주문하였다. 당시만 해도 한국에 eSIM이 없어 생소했는데, eSIM이란 결국 가상의 SIM을 휴대폰에 인식시키는 것이다.

eSIM을 신청하니 QR 코드 2개를 내 카톡으로 보내주었다.

하나는 와이프 스마트폰에 인식시킬 eSIM이고, 나머지 하나는 내 스마트폰에 인식시킬 eSIM이었다. 인식시키는 방법은 캐나다 입국 후 스마트폰 카메라로 QR코드를 찍으면 자동 설치된다.

그런데 입국 후 문제가 생겼다.

입국 후 정신이 없는 와중에 내 핸드폰에 2개의 QR코드가 같이 있다보니 와이프와 내걸 반대로 찍은 것이다.

결국 와이프는 내 이름으로 된 캐나다 번호를, 나는 와이프 이름으로 된 캐나다 번호가 인식되었다

더욱이, eSIM을 처음 써본 나는 실수로 와이프 eSIM을 삭제했고, 결국 와이프 핸드폰은 먹통이 되었다.

나는 캐나다 현지 콜센터에 연락을 했다. 그러나 그들의 영어는 내가 한국에서 익히 들었던 수준의 영어가 아니었다.

결국 한인 대리점에 도움을 요청했고, 처음에는 캐나다는 한국과 달리 고객이 다 알아서 해야 한다고 말씀하셨으나 간절한 나의 요청에 결국 우리들을 도와주셨다.

"같은 한국 사람이고 하니 특별히 도와 드리는 겁니다"

결국 그분이 직접 콜센터에 전화해서 일을 해결해 주셨다.

나는 너무나 고마워 전화를 드려서 감사하다는 이야기를 드렸다.

이후 전화로 그분과 여러 사담을 나누었는데, 그분이 한국에 있을 때 다니셨던 회사가 바로 지금 내가 다니는 회사였다.

"회사 선배님이셨어요? 저 지금 방금 말씀하신 그 회사에 다녀요"

그분도 적잖이 놀라시는 눈치였다.

그러면서 그 회사를 다니다 캐나다로 이민 온 사람들의 모임이 있는데 와보겠냐고 물어보셨다.

난 캐나다에서 많은 인맥을 쌓고 싶었기에 한치의 망설임도 없이 그렇게 하겠다고 말씀드렸다.

이후 우리 가족은 매달 모임에 참석하였고 거기에서 많은 선배님들과 친분을 쌓을 수 있었다.

<모임을 위해 집을 방문한 우리 가족>

내가 캐나다에서 처음으로 골프 필드를 나갈 때도 그분들이 같이 나가 주셨고, 내가 기러기 아빠일 때 둘째 아이가 가와사키병에 걸린 적이 있었는데, 그때도 같이 걱정해 주시며 많은 도움을 주셨다.

그러고 보면 나는 우연이라는 이름 아래 좋은 인연을 맺은 경우가 많다.

재테크를 하지 않으면 불행한 세대

기러기 아빠의 이민 고민

지난주 회사 후배 한 명과 밥을 먹었다.

이 친구는 서울 상위권 대학을 나와 로스쿨을 졸업한 변호사다.

더욱이, 집이 강남이라고 하길래 역시 로스쿨 졸업생들은 부유한 집안의 아이가 많다는 생각을 하고 있었다.

그런데, 이야기 도중 서울에 자가 아파트가 있는 내가 부럽다고 이야기하더라.

"

내가 부럽다고?

"

처음에는 그 말을 이해하지 못했다.

나는 서울에 집이 있기는 하지만 강남에 사는 것도 아니었기에 그 후배가 부러워할 정도는 아니었기 때문이다.

"제가 부럽다고요? 강남에 사시는 분이 무슨 말씀을..."

"사실, 저 자가가 아니에요. 장기 임대주택입니다"

나는 그 순간 만감이 교차했다.

가난한 고시생으로서 사법고시를 준비했던 나로서는 로스쿨생들은 모두 부유하다는 선입견을 가지고 있었다.

"그래도 마음먹으면 집 금방 사시는 거 아니에요?"

"아니요. 제 월급의 상당부분이 월세와 대출이자로 나갑니다. 강남에 집을 사는 건 이미 포기했고, 서울 안에 라도 집을 사고 싶어요"

로스쿨 생들은 부유한 집안의 자제분들 아니냐는 말이 목구멍까지 나왔으나 차마 할 수 없었다. 때마침 내 생각을 읽기라도 한 듯 이 친구는 이와 관련된 말을 내게 했다.

"사람들이 로스쿨 졸업생들 부자라고 생각하는데, 장학금 제도가 잘 되어 있어 부유하지 않아도 다녀요"

그러면서 변호사가 되면 모든 게 다 해결될 줄 알았는데 막상 되어보니 그렇지 않다며, 용돈 만원에 행복해하던 어린시절이 그립다 했다.

분명 그 말을 할 때 그 친구의 표정은 전혀 행복해 보이지 않았다.

오히려 삶에 지친 표정이 더 역력 했다.

❝

우리나라 젊은 세대는 왜 이리 불행한 걸까
❝

그보다 왜 이리 불행하다고 느끼는 걸까란 표현이 맞을 것이다.

우리나라 젊은이들은 고스펙자나 저스펙자나 모두 불행하다고 느끼는 사람이 많다.

월급을 모아 집을 사지 못해서 불행한 걸까? 그건 지금의 문제가 아니다. 내가 신입사원일 때도 회사 선배들이 집 한 채 해줄 수 있는 집안에서 태어났느냐, 없느냐가 인생을 결정한다는 말을 자주 했다.

그만큼 예전에도 월급만 모아서 서울에 집을 산다는 것은 불가능했다.

나 역시 가난한 집에서 태어났다. 그러기에 시드머니가 모일 때까지 양복 한 벌로 버티며 옷이 헤어져 구멍이 날때까지 입었다. 그렇게 시드머니를 모아 부동산, 주식에 투자했고 집을 사게 된 것이다. 만약 월급만 모았다면 수도권에 내 집 마련조차 쉽지 않았을 것이다.

이는 캐나다도 똑같다. 더욱이, 캐나다는 코로나 시절 우리나라보다 더 크게 집값이 상승했고, 임대료는 상상을 초월한다.

그런데 캐나다 젊은 세대들의 표정은 밝다. 그 백인들 특유의 여유로움과 익살이 넘쳐난다.

그러나 유독 우리나라 젊은 세대들에게는 삶에 지친 표정이 자주 보인다.

"

비교당하는 삶 그리고 재테크 세대

"

나 때는 일부의 사람들이 재테크에 관심을 가졌다면 지금의 젊은 세대들은 재테크에 더 많은 관심을 가지고 산다.

그만큼 돈이 많은 삶을 더 지향하게 됐고, 이는 SNS의 영향력이 클 것이다.

여기서 SNS가 삶에 미치는 영향의 정도가 문제된다.

서양인들과 달리 우리나라는 비교적 남과 비교하는 삶을 더 중요시 여겨왔다. 내가 행복한가 보다 남들보다 더 행복한지가 중요하다는 것이다.

매일 인스타그램에 비싼 호텔 뷔페에서 먹은 음식, 해외여행에서 찍은 영상이 올라온다. 또한 이런 점을 노린 자극적인 기사들이 수시로 올라온다.

이러니 최고위층 부자들이 아니라면 누구나 불행하다고 느끼게 되는 것이다.

나 역시 강남의 신축이 50억이라든지, 부자들 아파트는 신용카드도 따로 나온다든지 하는 류의 기사를 접할 때면 내가 이룬 목표가 하찮다고 느껴질 때가 있다.

비교당하는 삶 그리고 재테크를 하지 않으면 불행해지는 세대.

우리 아이들이 그러한 시대를 살아가게 내버려 두는 것이 맞는 것일까? 그러기에 내 고민은 더더욱 깊어질 것 같다.

다주택자 포기합니다.

기러기 아빠의 재테크 이야기

가족과 떨어져 기러기아빠가 되자마자 나는 외로워할 틈도 없었다.

나는 큰 미션을 부여받고 한국에 먼저 귀국했기 때문이다.

❝

그 미션은 집을 매수해 놓는 것이다

❝

그것도 서울 집을 말이다. 코로나 시대가 변화시킨 우리의 삶 중 하나가 집이 곧 명함이 되었다.

"어디 사세요?"가 이제는 "어느 정도 사세요?"가 된 것이다.

그러면서 서울의 가치는 올라갔고, 이제는 서울 집을 사기 위해서는 상당한 돈이 든다.

더욱이, 우리는 캐나다로 떠나기 전 경기도에 신축아파트 한 채를 보유하고 있었다. 그런데도 서울로 들어올 수밖에 없었던 건 우리 부부의 직장 때문이다.

와이프 직장이 인천으로 변경되면서 도저히 이전 살던 곳에서는 출퇴근이 불가능했기 때문이다.

그런데, 우리는 캐나다로 가기 전 우리가 살던 곳에 전세를 주고 갔다. 그런 문제 등으로 집을 팔기도 어려운 상황이었다.

이런 조건 등을 충족시키면서 집을 구매할 수 있는 방법은 아무리 생

76

각해도 다주택자가 되는 방법밖에 없었다. 결국 나는 다주택자가 되기로 결심했다. 문제는 집의 매수시기였다. 가족이 그해 12월에 들어오기로 되어 있었기 때문에 그 전에만 매수를 하면 됐다.

그러나 나는 고민 끝에 2월에 집을 매수하기로 결정했다. 10개월이나 일찍 매수를 결정한 것이다. 그 이유는 이렇다.

내가 캐나다에 있던 1월 3일 한국에서는 1.3대책을 발표했다.

그걸 보고 내가 느낀 건 "아! 정부에서 더 이상 집값이 떨어지는 것을 원하지 않는구나"였다.

내가 생각하는 집값은 심리가 크게 작용을 하고, 이러한 심리는 정책과 금리의 영향을 받는다.

당장 금리가 낮아지지는 않겠지만, 정책이 완화로 돌아섰다는 건 적어도 지금이 바닥이라는 생각이 들었다.

또한, 집 매수를 늦추다가 혹시라도 집 매수에 실패하면 우리 가족이 한국에 돌아왔을 때 살 집이 없기에 이를 미리 매수하면 심리적으로도 안정이 될 거라고 판단했다.

그래서 나는 한국에 귀국한지 일주일후부터 임장을 다녔고, 임장을 다닌 지 2주만에 서울의 초품아 아파트를 매수하게 되었다.

더욱이, 당시는 주택 매매 시장이 너무 좋지 않아 7천만원이나 네고를 할 수 있었다. 2021년이였으면 택도 없는 소리였을 것이다.

그렇게 다주택자가 된 나는 생전 처음으로 2주택을 보유하게 되었다.

다주택자가 좋은 것만은 아니었다

상황이 나를 다주택자로 만들었지만, 다주택자가 무조건 좋은 것은 아니었다. 재산세도 2배로 내야하고, 대출금 이자도 내야 해서 여러모로 신경 쓰이는 게 한두가지가 아니었다.

그러나 이러한 경험과 고민을 통해 더 발전해 나가는 나를 발견할 수 있었다. 더 절박해졌기에 유료 부톡방에 가입해서 정보를 모았고, 사람들과 커뮤니케이션을 했다.

그렇게 지식과 경험이 쌓이면서 이제는 어디 가서 혼자 장시간 떠들 정도의 지식을 갖추게 되었다.

또한 예전보다 경제기사를 많이 읽게 되었고, 거기에 나온 말들이 무슨 소리인지를 하나 둘 이해하게 되었다.

지금은 연예인 기사를 읽을 시간에 경제 기사를 하나라도 더 찾아본다.

그런데, 이렇게 경제 공부를 하다 보니, 내가 경제에 있어 문외한이였다는 사실도 알게 되었다.

실제 사회에서는 경제 지식이 중요함에도 말이다.

그렇기에 이제는 우리 아이들에게 어떻게 경제지식을 가르쳐줄지에 대한 고민이 또 하나 늘었다.

삶을 살면서 아이들에 대한 고민은 끝도 없는 것 같다.

그리움도 치료가 되나요?

기러기 아빠의 우울증 이야기

여름 캐나다에 있는 가족을 만나고 온 지도 벌써 3개월이 됐다.

오랜만에 가족을 만나고 또 다시 헤어졌기 때문일까

"

귀국 후 나에게는 우울증이 생겼다.

"

애들 재우고 나서 아내와 맥주 한 잔 하면서 같이 영화를 보던 순간.

나에게 안겨 때론 애교도 부리고, 때론 나에게 혼도 나던 우리 사랑스러운 아이들과 함께하던 순간.

와이프와 함께 콩닥콩닥 같이 요리를 하던 순간.

이 모든 것들이 주마등처럼 스쳐 지나가곤 한다.

그래서 문득 생각난 기억이 있다.

작년 그랜드 캐년을 여행갔을 때 우리는 미국으로 이민 온 한국인 가이드님과 함께 했다. 가이드님은 미국으로 이민 오기 전 기러기 아빠를 다년간 하셨다. 기러기 아빠를 할 당시 가족과 떨어져 살며 술도 많이 마셨고 밥도 제대로 먹지 못하면서 피폐한 삶을 살았고, 이렇게 더 살다 간 죽을지도 모르겠다는 생각에 모든 걸 정리하고 미국으로 건너오셨다고 했다.

이 곳 미국에 와서 가이드를 하고, 청소를 하고, 한국에서는 해보지 않은 온갖 험한 다 했지만 가족과 함께하는 지금이 행복하다는 말씀을 하셨다.

<한 때 기러기아빠를 하셨던 가이드님>

그 가이드님과 1박2일을 함께 하며, 많은 이야기를 나누었는데, 이야기의 대부분은 가족에 대한 이야기였다.

큰 아들의 여자친구가 중국인이라는 이야기, 성인이 된 아들들이 본인의 생일에 전화 한번을 안 해줘서 서운했다는 이야기, 노후에는 와이프와 함께 알콩달콩 재미있게 살고 싶다는 이야기 등 이야기 하나하나마다 가족에 대한 애정을 느낄 수 있었다.

그 당시만 해도 기러기 아빠의 삶이 이렇게 고달프다는 것을 실감하지 못했다.

"

아프니까 더 생각나는 이름 가족

"

몇 주전 골프 연습을 하다가 옆구리를 다쳤다. 그 통증은 한달이 지나도 가시지를 않았다. 그러다 보니 가족들 생각이 더 많이 나는 것 같다.

혹자는 돌봐야 할 아이들이 없으니 자유시간도 많고 편하지 않냐고 묻고는 한다. 그러나 내가 경험한 바로는 단연코 아니다. 몸은 편할 수 있으나, 항상 어딘가 낯선 곳에 와있는 느낌을 지울 수가 없다. 내가 있어야 할 곳은 여기가 아닌데 하는 그런 느낌말이다.

매일 하는 와이프와의 통화에서 전화기 너머로 들려오는 아이들의 목소리는 그러기에 더더욱 그리움을 깊게 만든다.

"

그리움도 치료가 되나요?

"

아프면 약을 먹거나 쉬면 된다. 그런데 그리움은 어떻게 치료해야 할까? 외롭고 힘들 때면 문득 그런 생각이 든다. 가족이 곁에 있다면 가족과 함께 시간을 보내며 그리움을 치료해 볼 수 있겠지만, 지금은 그럴 수가 없다.

그러기에 그리움을 잊기 위해 나는 매일 글을 쓴다. 그나마 글을 쓰고 있을 때가 마음이 편안하기에...

이민! 행복이라는 질문의 정답?

기러기 아빠의 이민 고민

"

어제 나는 두번째 캐나다 이민 세미나에 참석했다.

"

지금 내가 사는 곳이 경기북부인 것을 감안하면 강남구에서 하는 세미나에 참석하는 것이 쉬운 일은 아니다.

그러나, 이것이 내 아이들이 행복해질 수 있는 방안 중 하나의 대안이 될 수 있다면 그 정도의 고생은 충분히 감내할 수 있다.

그렇기에 피곤한 몸을 이끌고 아침 일찍 집을 나섰다.

한번 가본 길이라고 익숙하게 길을 찾을 수 있었고, 지난번 나와 상담을 진행했던 매니저님이 반갑게 나를 맞이해 주셨다.

<두번째 이민 세미나에 참석했다>

"

세미나의 주요내용은 이러했다.

"

이민은 크게3가지로 나뉜다. '유학 후 이민', '취업 후 이민', '사업 이민'이며, 그에 대해 구체적인 내용을 살펴보면 이렇다.

첫째, 유학 후 이민이다.

유학 후 이민에는 공립학교 유학과 사립학교 유학이 있다.

공립학교 유학은 졸업 후 PGWP(일을 할 수 있는 비자)가 3년짜리가 나오며, 배우자 open work permit이 함께 나온다. 또한, 아이들 무상교육이 가능하고 이민점수를 획득할 수 있다. 반면, 입학이나 학업 난이도가 높다.

사립학교는 입학이나 학업 난이도가 낮다. 반면, 졸업 후 PGWP가 나오지 않고, 일부 주를 제외하곤 아이들 무상교육도 안된다.

영어점수는 어학원을 통한 PATHWAY는 IELTS 4이하, 사립 컬리지는 IELTS 5이하, 공립 컬리지는 IELTS 6.5이상이다.

학비는 통상 국공립 기준 1년에 20,000CAD(한화 2,000만원)가 소요된다.

참고로, 내가 캐나다에 있던 작년에 UBC(캐나다에서 2~3번 째로 좋

은 대학)에 방문해서 LLM(외국인 로스쿨 과정으로 일반 로스쿨이 3
년인 것과 달리 1년 과정이다) 학비를 물어봤는데, 1년 35,000CAD(한
화 3,500만원) 정도였다.

또한, 컬리지 내지 대학원을 졸업 후 바로 영주권신청을 할 수 있는 학
교나 학과도 있다. 내가 문의한 건 대학원 과정이었는데, 주로 컴퓨터
사이언스나 환경공학이 많았다. 이주공사에서 내게 추천해 준건 수학
과, 통계학과였다.

둘째, 취업 후 이민이다.

직업 분류인 TEER는 0에서 5까지 있다.

TEER 0은 SKILLED(광고, 마케팅, 홍보, 금융 매니저 등), TEER 1은
SKILLED(금융 자문, 소프트웨어 엔지니어링 등), TEER 2는
SKILLED(컴퓨터네트워크, 웹 관리자, 임상 병리학자 등), TEER 3은
SKILLED(요리사, 베이커, 덴탈 어시스턴트 등), TEER 4/5는 NON-
SKILLED(주방보조, 서빙, 배달기사 등)이다.

여기서 TEER 0~3은 학력이나 경력이 요구되는 숙련직인 반면, 4~5
는 이러한 것이 요구되지 않은 비숙련직이다.

셋째, 사업 후 이민이다.

이는 6억원 이상의 잔고증명을 하고, 4억원 이상의 자금으로 현지 사
업을 하고 근로자를 고용해야 가능하다.

그외, 예체능 우수자에 대한 이민이 있는데, 이는 거의 유명무실한 제도라고 한다.

> "

캐나다 영주권은 점수제이므로 점수를 맞춰야 한다.

> "

연방정부이민과 주정부이민이 있는데, 이 중 BC PNP는 밴쿠버 주정부이민 프로그램이다.

나이가 40대 이상인 사람은 나이 점수를 받지 못하므로, 통상의 연방정부 이민은 어렵다.

따라서, 연방정부에서 파일럿으로 하는 프로그램(Agri FOOD, Meat CUTTER 등 주로 3D 업무나 의사, 간호사 등 Health care)이나 주정부이민을 선택해야 한다.

BC PNP의 경우 점수 항목은 지역, 급여, 경력, 학력, 자격증, 영어 점수(셀핍은 IELTS로 대체 가능하나 IELTS GENERAL을 봐야 함), 현재 캐나다 근무, 캐나다 1년 경력 여부이다.

SKILLED WORKER의 점수는 현재 107점이나, Tech의 경우 88점이고, 아이들 돌보는 직업(ECE, CHILD CARE)의 경우 60점이다. 그래서 많은 유학생 엄마들이 ECE(어린이집 교사)에 도전하고 있다.

그 외, 영주권을 받기 쉬운 주로 SK, NS, AIP 등이 언급됐다.

"

세미나가 끝나고 개인 상담을 진행했다.

"

상담 내용을 간추리자면, 가장 적은 돈으로 빨리 영주권을 획득할 수 있는 방법은 육체노동(blue collar)을 하는 것이다.

연방정부에서 진행하는 파일럿 프로그램이나, 소도시에서 힘든 일을 하는 것이다. 즉, 마트에서 고기를 썰거나 고기를 가공하는 일, 공장에서 바다에서 잡은 가재의 껍질을 까는 일 등이다.

이러한 육체 노동이 싫다면 캐나다 컬리지나 대학원을 입학해야 한다.

이 경우 대학 졸업까지 영주권 따는 시간이 더 걸리고, 학비까지 돈이 더 들어간다. 단, 이 경우 오피스 잡(white collar)을 할 수 있다.

즉, 캐나다에서 오피스 잡을 하는 대신 돈과 시간이 더 소요되는 것이다. 그러나 영주권을 딴 이후에도 관련 일을 계속할 수 있고, 학교를 다니는 동안 아이들의 무상교육이 가능하다.

솔직히, 대부분은 내가 알고 있던 내용이었다.

밴쿠버에서 살 때 이민자들이나 이민을 준비하는 분들과 이웃 사촌으로 지냈기에 대부분 들었던 내용들이다.

아직 어떠한 결정도 내릴 수 있는 상황이 아니기에 상담을 해준 회사 대표분에게 확답을 주지는 못하고 그 자리를 나왔다.

집에 오는 길에 와이프한테 전화를 걸었다.

큰 아이는 올해 9월 캐나다 Middle School에 입학했다.

"중학교는 재밌대?"

"여기 중학교는 항상 공부도 게임처럼 하고, 학교 끝나고 나면 동아리 활동을 하는데, 정말 다양해"

"응? 뭐 뭐 있는데"

"특수분장, 요리, 체스 등등 많아"

"우리 큰아들은 뭐한데"

"특수분장하고 싶다고 했는데, 마감돼서 배구랑 체스 해. 얼마나 신나 하는지 몰라"

"내가 들어봐도 정말 재밌겠다. 우리나라는 중학생 되면 학원 뺑뺑이 들어가야 하는데"

"나도 한국 돌아가면 아이들 힘들어 할까 봐 걱정이야"

그렇게 전화를 끊었다.

나는 새삼스레 아이들의 행복보다는 공부, 좋은 직업만을 외치는 우리나라의 현실이 안타까웠다.

지금을 사는 우리가 미래를 사는 아이들에게 지금의 악습을 물려주고 있는 건 아닐까

그러한 현실이 오늘을 사는 나에게는 더욱 큰 고민으로 다가오고 있다.

반가운 손님의 서울 나들이

캐나다 지인의 추석맞이 한국 방문

어제 갑자기 와이프에게 한 통의 문자가 왔다.

"

자기네 캐나다 회사 선배가 자기 한국 연락처 물어봤어

"

나에게는 캐나다에서 핸드폰 개통 문제로 우연히 알게 된 회사 선배가 있다. 그 선배 덕에 캐나다 이민자모임도 알게 되었고 그 모임 분들에게 도움도 많이 받았다. 그런데 그 분이 내 한국 연락처를 물어봤다는 것이다. 처음에는 혹시 캐나다 지인 회사에 나를 추천해주려고 하나? 이렇게 이민 문제가 쉽게 풀리는 건가? 많은 상상의 나래를 펼쳤다. 그러나 '에이, 그럴 리 없지. 그런 게 있다면 와이프한테 이야기했겠지'하며 체념했다. 그리고 한두시간이 지나고 모르는 번호로 문자가 한 통 왔다.

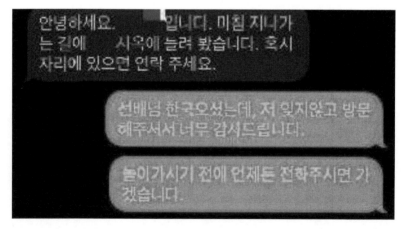

〈캐나다 선배로부터 문자가 왔다〉

94

66

헉, 한국에 오시려고 내 연락처를 물어 본거였구나

66

그 문자를 본 순간, 나는 나의 상상이 현실이 되지 못한 아쉬움 보다는 반가움이 더 컸다. 난 바로 전화를 걸어 계시는 위치를 확인한 후 엘리베이터를 잡아타고, 1층 로비로 향했다. 그 곳에는 마스크를 쓰신 선배와 선배의 지인분이 앉아 계셨다.

너무나 반가운 나머지 나는 큰 소리로 '웬일이시냐'고 외쳐 물었다.

회사선배에게 몇 마디 안부를 물은 후 회사 카페로 자리를 옮겼다.

"선배님, 한국에서 처음 뵙네요. 한국에는 어쩐 일이세요"

"코로나 때 빼고는 부모님 때문에 추석 즈음해서 한국에 자주 와. 그렇지 않으면 부모님 돌아가시고 나서 후회해"

이민가면 제일 걱정되는 것이 부모님이라는 말이 맞다. 내가 아는 다른 이민자분도 비슷한 말을 여러 번 했다.

"저 잊지 않고 와 주셔서 너무 감사드려요"

"여기 사옥은 나 있을 때와 많이 변했네"

"네, 다 때려 부수고 새로 지은거에요"

그렇게 회사 이야기를 한참 하고 있을 때, 이민은 잘 진행되고 있는지 내게 물어보셨다.

"이민 세미나 2번 참석했는데, 제가 문과생이라 제 전공을 살려서 가는 건 쉽지 않을 것 같아요"

"캐나다는 기술의 나라야. 기술이 최고지. 문과생은 전공 살려서 오기 힘들어"

"그래서 고민이에요. 컬리지나 대학원을 입학해야 할 것 같은데, 그것도 돈이 만만치 않아서"

그때 옆에 계신 선배의 지인분께서 본인은 한국이 제일 좋다고, 그래서 자기는 이민을 가지 않았다면서 웃으며 말씀하셨고, 선배 역시 이에 동조하셨다.

"난 75세 되면 역 이민할 거야. 나이 들어 거기서 뭐해. 그땐 아이들도 우리의 도움이 필요 없고"

선배의 그 말에 나 역시 웃으며 나도 아이들 때문에 이민을 생각하는 거라고 말씀드렸다.

생각해보니 우리 가족은 캐나다에 있을 때 선배의 모임만 갔다 오면 허탈함을 많이 느꼈다.

그 모임 사람들은 하나같이 캐나다에서 좋은 직업들을 갖고, 대저택에 살며, 캐나다 연금으로 노후를 즐기고 계셨다. 더욱이 자식들도 다들 잘 키운 그야말로 성공하신 분들의 모임이었다.

그래서 그 모임에서 집으로 돌아올 때 면 우리도 나이 들어 저렇게 살 수 있을까 하는 대화를 와이프와 정말 많이 했던 기억이 난다.

대화가 20분 정도 이어지자 선배는 나중을 기약하며 회사 밖으로 나가셨다. 그 선배가 떠나는 모습을 지켜본 후 지금은 자고 있을 와이프한테 문자 한통을 보냈다.

'자갸, 선배 한국에 와서 나 한번 보려고 내 번호 물어보신거야. 난 또 캐나다 회사 소개시켜주려는 줄 알았네'

잠깐 동안의 기분 좋은 상상. 현실은 되지 못했지만 그래도 선배를 한국에서 뵈었다는 사실이 정말 좋았다.

저는 효자가 아니에요

기러기아빠의 효도관광

이번 추석연휴 어머니를 모시고 간 일본 효도관광에서 같은 일행들로부터 자주 들었던 말이 있다.

"딸도 아니고 아들이 부모님 모시고 여행하는 거 처음 봤네. 효자네. 효자야"

66

그런데, 저 효자 아니에요

66

이 말을 하고 싶었지만, 그냥 씩 웃고 말았다.

사실, 어머니가 해외여행을 너무 좋아하시는데, 이번 여름 캐나다에 있는 가족을 만나러 갈 때 어머니를 모시고 가지 못한 부분이 마음에 걸려 일본여행을 계획한 거지 내가 효자라서 그런 건 아니다.

더욱이, 여행 내내 어머니와 자주 티격태격하며 2박3일을 보냈다.

어머니와 일본여행을 계획한 후 자유여행보다는 패키지 여행을 가기로 했다. 아무래도 자유여행을 짜는 게 여간 부담스러운 게 아니었기 때문이다. 그래서 여행상품을 찾아보다 결정한 곳이 홋쿠오카이다.

주위에서도 부모님과 함께 자주 가는 여행지이며, 온천이 있어 여행의 피로를 풀 수도 있기 때문이다.

첫날 다자이후텐만구/지온노타기/온천호텔

우리는 첫날 디자이후텐만(일본의 신사)을 관광했다. 이곳은 학문의 신 스가와라노 미치자네를 모시는 신사인데, 이 곳에 있는 황소 상의 머리를 만지고 자신의 머리를 만지면 공부를 잘한다는 속설이 있다.

<가이드의 말에 따르면 뿔이 아닌 뿔 사이의 머리를 만져야 한다고 한다>

이후 은혜 갚은 용 지온노타기의 전설이 있는 폭포를 구경했는데, 그 전설의 내용은 이렇다

<지온노타기의 전설>

옛날 야마우라 마을의 지온노타키에 오래 묵은 이무기가 살고 있었다. 이무기는 마을 사람들과도 사이좋게 잘 지내 해마다 풍년이 들게 해 주었다.

그러던 어느 날 이무기가 갑자기 병이 들었다. 이무기가 병이 들자 비가 내리지 않아 큰 흉년이 들었다. 마을에는 이무기의 병을 고쳐 줄 수 있는 사람이 아무도 없었다.

이때 한 스님이 지온노타키를 지나가다가 병든 이무기를 보았다. 스님은 이무기의 목에 거꾸로 박혀 있는 비늘이 병의 원인임을 알았다. 이른바 역린(逆鱗)이었다. 스님은 이무기의 역린을 바로잡아 주고 불경을 들려주었다.

깨달음을 얻어 용이 된 이무기는 환희에 찬 마음으로 용틀임을 하면서 하늘로 올라갔다(上昇喜龍). 이때부터 용의 보살핌으로 마을에는 가뭄이 들지 않고 해마다 풍년이 들었다.

마을 사람들은 자비로운 용을 기리기 위해 폭포 이름을 지온노타키(慈恩の滝)라고 지었다.

이후, 우리는 온천욕을 할 수 있는 코코노에 유유테이라는 온천호텔에서 묶었다. 이 호텔의 특징은 다다미방이 있고, 노천욕도 즐길 수 있다는 것이다. 이 곳 호텔에는 정문을 지키는 개가 있는데, 이 호텔의 상징이라고 한다.

<코코노에 유유테이 호텔의 상징인 개>

호텔에 들어서자 호텔 지배인이 일본의 전통 의상인 기모노를 한 벌씩 나눠줬다. 우리는 각자 방에 들어가 기모노로 갈아입은 후 저녁을 먹으로 이동했다.

우리는 그곳에서 저녁으로 일본 정식을 먹었는데, 일본 음식 특유의 깔끔하고 정갈함을 느낄 수 있었다. 또한, 즉석에서 바로 고기를 구워 먹을 수 있어 그 부분도 나름 괜찮았다. 내가 좋아하는 나또를 실컷 먹을 수 있었던 건 보너스였다.

〈호텔 저녁은 이런 느낌〉

온천욕을 즐긴 후 나는 어머니와 맥주한잔을 하고 잠자리에 들었다.

둘째 날, 다데와라 습지/가마도 지옥/씨사이드 모모치

첫째 날 날씨가 구름한점 없이 맑았던 것과 달리 둘째날은 날씨가 흐
라고 기온도 내려갔다. 혹시라도 감기에 걸릴까 봐 약간은 걱정이 되
었지만 주로 관광버스로 이동하였기에 다행히 큰 문제는 없었다.

<다데와라 습지>

다데와라 습지는 갈대가 자라는 습지위에 나무데크를 이용해 산책로
를 만든 것으로, 산 넘어서까지 길이 나 있는 것이 특징이다. 그곳을
걸으며 사진을 찍은 우리는 다음 목적지로 향했다.

다음으로 간 곳은 가마도 지옥이다.

이곳이 지옥이라 불리우는 이유는 사람이 온천욕을 할 수 없을 정도로 고온의 물이 나오기 때문이다. 즉, 일본 사람들은 고온의 온천을 지옥이라 부른다. 그런데 이 곳에 오는 순간 낯익은 냄새와 풍경이 펼쳐졌다.

내가 캐나다에서 한참 여행에 빠져 있을 때 미국 옐로우스톤 국립공원을 여행한 적이 있었다. 그 곳은 많은 양의 황과 온천으로 인해 평소에는 보기 힘든 절경을 볼 수 있는 곳이었다.

〈미국 옐로우스톤 국립공원〉

옐로우스톤 국립공원에 들어서면 코를 찌르는 듯한 황냄새로 기분마저 아찔할 정도이다.

그런데 그 황냄새를 이 곳 일본에서도 맡은 것이다. 더욱이 온천 특유의 푸른색마저 닮았다. 다만, 일본 특유의 작고 앙증맞음이 차이라고 할까.

<일본의 가마도 지옥, 미국 옐로우스톤의 느낌이다>

또 하나의 차이점. 그것은 SHOW이다. 그곳에서 웬 일본인 아저씨가 모기장쇼를 해준다고 해서 따라갔는데, 한국말로 '여기다 후~하고 바람을 불면 김이 난다'고 하는 것이다. 신기해서 쳐다봤는데, 정말 김이 났다.

<일본아저씨가 후~하자 이렇게 김이 났다>

이후 우리는 **씨사이드 모모치해변**으로 갔는데, 이 곳은 인공 해변이라고 한다. 갯벌에 모래를 덮어서 만든 인공해변인데, 날씨가 쨍하지 않아서 엄청 이쁘다는 느낌을 받지는 못했다.

<일본은 천주교 신자가 많지 않아 성당은 보통 결혼식 용도로 사용한다>

그렇게 이튿날 일정이 끝나고, 훗쿠오카 시내 비즈니스 호텔에서 묵었다.

"

셋째 날, 면세점 관광 후 귀국

"

셋째 날 우리는 면세점으로 향했다. 역시 패키지 상품의 마지막은 면세점이라는 생각이 들었는데, 그 곳은 건강식품을 파는 곳이 였고 남은 돈으로 어머니 건강식품을 사드렸다.

그렇게 모든 일정이 끝나고 우리는 한국행 비행기에 몸을 실었다.

집으로 향하는 공항버스에서 어머니는 이렇게 아들과 단 둘이 하는 여행도 재밌다는 말씀을 하셨다. 나 역시 좋은 추억으로 이번 여행을 기억할 것 같다.

브런치 여기 뭘 하는 곳이지?

기러기 아빠의 X 활동기

기러기아빠를 하는 동안 난 SNS 활동에 열을 올렸다. X(구 트위터), 스레드 활동을 하며, 온라인 친구들을 사귀고, 많은 사람들의 생각과 일상을 엿봤다. 그러던 중 누군가 X에 이런 글을 남겼다.

"

브런치 여기 도대체 뭘 하는 곳이지?

"

그러면서 캡쳐해서 올린 사진들은 흔한 말로 어그로를 끌기 위해 다소 과장되게 정한 제목들이었다.

댓글들도 하나같이 이를 비난하는 글들이었다.

그런데, 사실 나부터도 글의 제목을 정할 때 정말 고심한다. 어떻게 해야 사람들이 내 글을 읽고 싶을 만한 제목을 만들지.

그런데 그런 행동들이 다른 사람들 눈에는 그렇게 느껴질 수 있겠구나 싶었다.

그런데 이런 행동들이 유독 브런치 작가들만의 문제일까?

요즘 나는 온라인 기사를 읽지 않으려고 노력한다. 기사의 제목들이 하나같이 자극적이라 스트레스가 상당하기 때문이다.

기사만 보면 우리나라가 내일 멸망해도 하나도 이상하지 않다. 예를 들어 2022년 가을 레고랜드 사태 때도 제2의 IMF가 온다고 난리였다. 2023년 가을 그 놈의 제2의 IMF가 또 등장했다. 그런데 나는 요즘 이런 기사들로 너무 피로하다는 걸 많이 느낀다.

어그로를 끌어야 살아남을 수 있는 사회에 점점 지쳐가는 것이다.

한편, 이는 우리나라가 과도한 경쟁사회라는 반증이기도 하다. 캐나다에 있을 때 캐나다로 이민 간 회사 선배로부터 이런 이야기를 들었다.

"내가 한국의 fast life 속에서도 살아보고, 캐나다의 slow life 속에서도 살아봤는데, 인간의 생체리듬은 slow life가 맞는 것 같아. 한국은 세계에서 손꼽히는 fast life인데, 이러한 삶이 사람들을 더 불행하게 만드는 거야"

요즘 들어 그 선배의 그 말이 더 기억에 남는다. 우리 아이들이 살아가야 할 사회가 조금은 더 여유 있는 사회가 되기를 희망한다.

유학 후 이민 박람회 참석

기러기 아빠의 유학 이민 박람회 참석

어제는 이제까지 참석했던 이주공사가 아닌 다른 곳에서 주최한 이민 박람회에 갔다 왔다. 이 곳은 유학을 통한 이민을 전문적으로 하는 곳인데, 캐나다의 여러 학교 관계자가 참석했다.

그리고 대부분의 이민 박람회는 강남에서 하는데, 내가 사는 곳이 경기북부인 관계로 난 항상 아침 일찍 일어나 출발을 하곤 했다.

처음에는 얼마되지 않는 사람들로 박람회가 한가 했지만 시간이 지나자 점점 사람들이 인산인해를 이루기 시작했다. 한편 많은 사람들이 이민에 이렇게까지 관심을 가지고 있다는 사실도 알 수 있었다.

그리고, 유학 후 이민이다 보니 취업 후 이민과 비교해서 20대가 상당히 많다는 것도 느낄 수 있었다.

<유학 후 이민 박람회 입구>

66

캐나다 서부보다는 동부

66

밴쿠버는 내가 살아봤고 지인들도 있는 곳이기에 우선은 이 곳에 위치한 BCIT 부스를 가봤다.

이 학교는 현재 내 지인이 재학중인 곳으로, 취업률이 좋은 대신 공부를 엄청 많이 시키는 걸로 알고 있다.

특이한 건 동부쪽 부스와 달리 밴쿠버는 이주공사 직원이 상담을 받고 있다는 것이다. 아마 동부 쪽이 전문이지 않을까 싶었다. 그래서인지 이주공사 직원은 서부보다는 동부 쪽 학교를 추천했다. 동부 쪽 학교가 나중에 영주권을 받는데 더 유리하다는 것이다.

< 캐나다 동부쪽 학교 >

동부 쪽 학교는 그 해당 학교 교직원들이 직접 나와 있어 더 생생한 이야기를 들을 수 있었다.

"

먼저 간 곳은 세인트로렌스 대학

"

세인트로렌스 대학은 킹스톤 지역에 위치해 있는데, 백인 비율이 압도적으로 높다. 그리고 현재 캐나다의 수도는 오타와인데, 이 곳이 캐나다의 첫번째 수도였다고 한다.

이 학교에 입학하면 아이들 무상교육이 가능하며, 배우자는 오픈 워크 퍼밋을 받아 일을 할 수 있다고 한다.

또한, 대중교통을 무료로 이용할 수 있으며, 수도였던 곳이라 치안이 매우 좋다고 한다. 그리고 시에서 운영하는 축제가 많아 캐나다의 축제를 즐길 기회도 많다고 한다.

〈킹스톤, 지역의 모습〉

전공에 대한 상담도 받았는데 내가 문과를 전공하다 보니 이민과 관련하여 항상 이부분이 고민이었다. 교직원은 나한테 비즈니스 준석사 과정을 추천했다.

이유는 내가 나이가 적지 않다 보니 학과 친구가 더 중요한데, 비즈니스 준석사 과정은 같은 또래의 경력직들이 많아 서로 도움을 받을 수 있다는 것이다.

학비는 일년에 1,800만원 정도가 들며, 집 렌트는 타운하우스 기준으로 임대료 월 200~230만원이 든다고 한다. 그래도 물가는 밴쿠버보다 저렴하다고 한다.

참고로, 무상교육이 아닐 경우 아이 둘 기준으로 아이들 학비는 일년에 3,500만원 정도 들어간다고 한다.

그리고, 영주권 관련 주정부 이민은 job offer가 있어야 하기 때문에 연방정부 이민 중 하나인 Express entry가 훨씬 유리하다고 한다.

취업 후 이민의 경우 job offer를 받고 간 것이기 때문에 주정부 이민을 추천해 주는데 반해, 유학 후 이민은 job offer를 받고 가는 게 아니므로 연방정부 이민을 추천해 주는 차이가 있었다.

"

다음 찾아 간 곳은 해밀턴의 모학 대학

"

모학대학은 해밀턴에 있는데, 해밀턴은 킹스톤 보다 큰 도시다. 그래서 인도인, 동양인 비중이 더 높다고 한다.

또한, 모학대학은 캐나다 제2의 의과대학이 있으며, 해밀턴 지역은 좋은 대학교가 많아 아이들이 나중에 대학을 들어가기도 편하다고 한다. 그리고 킹스톤에는 국제공항이 없어 다른 나라로 가기 위해서는 토론토로 이동해야 하는데 반해, 해밀턴은 국제공항이 있어 이동이 편하다.

전공과 관련하여서는 약국 보조원이 되는 학과, 아이, 장애인, 노인 등에 대한 테라피를 가르쳐 주는 학과를 추천해주었다. 만약 공대로 가고 싶다면 교통공학과를 추천해주었다.

그 외 전공을 살리려면 패러리걸(우리나라로 따지면 법무사가 되는 학과)도 추천해주었는데, 패러리걸 학과는 전에는 엄청 인기가 많았는데, 최근 캐나다에서 관련 법이 바뀔 예정이고 이 법에 따르면 패러리걸 학과에 대해 대대적인 구조조정이 있을 거라 요즘은 인기가 떨어졌다고 한다. 물가나 임대료는 킹스톤 지역과 비슷하다고 한다.

그리고 캐나다 동부지역은 우리나라와 기후가 비슷한데, 다만 겨울에 눈이 많이 온다고 한다.

이후 나이아가라 대학 등 다른 대학도 가볼 예정이었는데, 대기시간까지 합쳐서 한 대학당 1시간이 넘는 시간이 소요되다 보니, 결국 이정도에서 박람회를 나올 수밖에 없었다.

집에 가는 길에 지하철 안에서 와이프와 전화통화를 했다.

나는 이민에 대한 정보를 모으면 모을수록 내가 잘 할 수 있을지 겁이
난다고 말했고, 와이프는 내게 우리가 할 수 있는 만큼만 하자고 말했
다.

몇 년 전만 해도 우리 가족이 캐나다에 갈지 몰랐던 것처럼 나 역시 우
리 가족의 미래를 알 수는 없다. 하지만 목표를 설정하고 계속 노력하
다 보면 뭔가는 이루어지지 않을까 생각된다.

골프..그 놈

기러기아빠의 골린이 탈출기

나는 올해 기러기 아빠가 된 후 기러기 아빠가 된 기간동안 스스로 세웠던 계획이 있었다.

첫째, 집 매수

둘째, 상반기, 하반기 각 운동 하나씩 배우기

셋째, 재테크 공부

이 중 운동과 관련하여 하반기에 배우기로 결심한 운동이 골프다. 그래서 골프 레슨에 등록했고, 일주일에 3번씩 골프를 배우러 다니고 있다.

❝

그런데 골프가 너무 어렵다

❝

이렇게 어려운 운동이 있다니. 나도 운동신경이라면 나쁘지 않은데 말이다. 더욱이 골프라고 하면 막대기 하나 들고 휙휙 휘두르는 거라고 생각했는데, 생각보다 동작이 너무 복잡하고 어려웠다.

더 힘든 건 몸을 꼬는 동작을 하다 보니 잔부상이 많이 발생한다는 것이다. 한달만에 옆구리 부상이 발생해 3주를 쉬었을 정도다.

그보다 골프를 배우며 후회되는 것은 좀 더 젊었을 때 배우지 못한 사실 때문이다. 난 젊었을 때 무언가를 배우기 위해 돈을 쓰는 것을 사치라고 생각했다.

어머니도 항상 근검절약을 강조하셨고, 지금도 무언가를 배운다고 하면 돈이 얼마가 들었는지를 먼저 물어보시고는 한다.

그러다 보니 사치스러움의 대명사인 골프를 배운다는 것은 전혀 생각하지도 못했다. 그런데 이런 태도에는 문제가 있다. 시간을 헛되이 쓴다는 것과 자신감 결여가 그것이다.

결국 돈을 내고 배우면 금방 배울 수 있는 것을 혼자 배우면 시간도 배로 들고, 제대로 배울 리가 없다. 또한, 제대로 실력이 늘지 않으면 나는 원래 못하는 사람인가하는 생각에 자신감이 결여되기도 한다.

그런데 나이가 들며 주위를 돌아보니 돈을 내고 정식으로 운동을 배운 사람들이 더 현명하다는 생각을 했다. 나 역시 돈을 내고 스키를 배워보니 쉽고 빠르게 배울 수 있었다.

그래서 나는 우리 아이들에게 무언가를 배우기 위해 사용하는 돈은 아끼지 말라고 가르친다. 작은 것에 연연하다 큰 것을 놓칠 수 있기 때문이다.

내가 기러기 아빠가 되고 나서 변한 것 중 하나는 아이들에 대한 고민이 많아진 것이다. 내가 겪은 시행착오를 아이들이 겪지 않게 하기 위해 난 매일 매일 고민을 한다.

비슷한 듯 다른 SNS 분위기

기러기 아빠의 인플루언스 도전기

요즘 지하철에서, 또는 약간의 시간만 나면 틈틈이 하는 것이 있다.

66

바로 X(구 트위터), threads 다.

66

직장인인 나는 작가로 제2의 삶을 사는 것이 꿈이다. 그런 의미에서 웹소설도 짧게나마 한편 완결해봤다.

그런데 내가 요즘 SNS에 심취해 있는 이유는 이렇다.

첫째, 즉흥적으로 짧게 글을 써도 되는 플랫폼이라 짧은 글을 써보기에 좋다.

사실, 브런치나 블로그, 웹소설의 경우는 생각보다 시간이나 노력이 많이 들어가고 긴 글을 써야 한다.

즉, 브런치는 글을 쓰는 전문 플랫폼이라 글을 쓸 때 신경을 많이 써야 하며, 블로그도 재테크 관련 글이다 보니 정보 수집 및 정리에 상당히 많은 시간이 소모된다. 또한 웹소설은 1회당 5,000글자 이상을 써야 하니 그 투여되는 시간이나 노력은 두말할 필요가 없다. 따라서, 이러한 류의 글은 지하철에서 잠깐의 시간을 내서 적을 수 있는 것들이 아니다.

반면 X, Threads는 컨텐츠 하나를 만들어 내는데 30초에서 1분이면 된다. 그래서 지하철 같은 곳에서도 컨텐츠를 만들 수 있다. 그래서 짧게 글을 써보며 감을 익히는데 더할 나위 없이 좋은 플랫폼이다.

둘째, 실시간 플랫폼이라 사람들과의 소통 창구가 될 수 있다.

나중에 정말 작가가 되면 더 많은 사람들과 소통을 해야 할 수 있는데, SNS는 이러한 의미에서 좋은 플랫폼이다. 그래서 정치인들이나 유명 작가들은 SNS개정을 통해 팬들과 많은 소통을 하고 있다.

또한, 그런 소통을 통해 더 많은 팬도 확보할 수 있다. 그런 의미에서 SNS 개정을 만들고 활동을 하는 것은 좋은 방법이라고 생각했다.

셋째, X나 Threads를 통해 요즘 사람들의 생각을 알 수 있고, 이는 글의 소재 발굴에도 도움이 될 수 있기 때문이다.

블로그나 브런치가 일방적으로 내 생각을 글로 옮겨 적는 것이라면, X나 threads는 실시간으로 사람들과 소통을 하는 것이기에 사람들의 생각을 알 수 있고, 요즘 유행하는 트렌드도 알 수 있다. 이는 작가에게 굉장히 중요한 요소이다. 요즘의 트렌드를 읽고 이를 소재로 글을 써야만 사람들이 더 재미있게 읽을 수 있는 글을 쓸 수 있기 때문이다.

이러한 이유에서 나는 X나 Threads같은 SNS에서도 팔로워수를 관리하고 재미있는 글을 쓰려고 노력하고 있다.

든 자리는 몰라도 난 자리는 안다

기러기아빠 섭섭함을 느낄 때

"

오늘 집 근처 단골 미용실에 갔다

"

내가 자주 가는 동네 미용실에는 실력이 꽤 괜찮은 **헤어디자이너** 한 분이 있는데 난 주로 그 분을 예약한다.

그런데, 두세 달 전부터 그분이 12월에 결혼한다는 이야기를 자주 했다. 나 역시 12월에는 가족들을 데리러 캐나다에 가기 때문에 얼추 타이밍이 맞겠다 싶었다.

오늘도 그 분으로 예약을 하고 머리를 자르기 위해 미용실에 갔는데, 원장으로부터 뜻밖의 말을 들었다.

"그분 결혼때문에 미리 그만두셨어요"

그 이야기를 들으니, 묘한 감정이 들었다. 그건 섭섭함이었다.

그래도 나름 반년 동안 머리를 맡겼던 사람이라 그런지 이제는 볼 수 없겠다라는 생각에 섭섭함이 느껴졌다.

그러게 든 자리는 몰라도 난 자리는 안다고 한다.

집에 와서 생각해보니 나에게는 정말 소중한 인연들이 많았다. 특히 캐나다에서 새롭게 알게 된 인연들이 많은데, 아이들 학교 학부모들이 그 첫번째 부류다. 특히 나 홀로 한국에 귀국한 후 내 와이프는 의

지할 곳이 없다 보니 그 학부모들과 더 친해졌는데, 김치도 같이 남그고 장도 같이 보면서 그 친분이 이제는 언니, 동생 사이로까지 발전했다.

그래서 여름휴가 때 와이프는 나에게 우리 가족 귀국할 때 공항에서 울지도 모른다는 말을 하고는 했다.

두번째 부류는 우리 회사 선배로 이루어진 캐나다 이민자 모임이다. 우리 가족이 캐나다에서 곤경에 처했을 때 자주 도와주시곤 했다.

세번째 부류는 회사 동기로 인연을 맺어 친분을 쌓다가 캐나다로 이민 간 친구이다. 우연하게도 내가 캐나다에 간 직후 우리 집 근처로 이사를 왔다. 자주 부부 동반으로 저녁도 같이 먹으며 그 친분을 더 돈독히 쌓았는데, 내가 캐나다에 대해 모르는 것이 있으면 전화해서 자주 물어봤다.

특히 내가 귀국한 직후 우리 둘째 아이는 이름 모를 고열에 시달렸는데, 해열제도 통하지 않았다. 이후에 가와사키 병이란 걸 알고 나서 우리 둘째 아이는 약 한 달간 캐나다 병원에 입원해 있었는데, 큰아이를 맡아 주시거나 캐나다 집에 찾아가 같이 걱정을 해주시는 등 그 당시 지인들의 도움을 정말 많이 받았다. 더욱이 한국에 있어 아무 것도 할 수 없던 나에게 걱정하지 말라는 말씀까지 해 주셨다.

그런데 그 분들과 헤어져야 한다는 생각이 드니 그 섭섭함이 가슴의 응어리로 남았다. 정말 사람의 난 자리란 더욱 크게 느껴지는 것 같다.

남자다움을 강요하는 사회

기러기 아빠의 직장 이야기

나는 이직을 통해 2곳의 회사를 다녔다.

첫번째 회사는 남성성이 강한 회사로 연봉은 높았으나 근무 강도가 센 곳이었고, 두번째 회사는 연봉은 낮았으나 나름 근무 강도가 약한 곳이었다.

"

첫 직장 이야기

"

첫 직장은 대학교 졸업 직후 입사를 한 곳인데, 남성성이 강한 곳이었다. 그래서 야근과 회식이 잦았다. 특히, 남자 직원들은 회식 외에도 자주 어울려 술을 마시는 분위기였다.

그런데 나는 성향이 그렇게 남성적이지 않다. 예민한 성격에 생각도 많아서인지 남자 직원들보다는 여자 직원들과 더 친했다. 술집보다는 카페에서 몇 시간씩 떠드는 걸 좋아했다.

그러다 보니 그 곳의 남자 직원들은 술 마시는 걸 별로 좋아하지 않는 나를 자주 왕따 시키고는 했고, 업무도 나에게 자주 몰아주었다. 그래서 나는 결혼식 전날에도 밤 11시까지 야근을 했는데, 당시 다른 사람들은 모두 집에 일찍 갔던 기억이 난다.

결국 결혼식 후 와이프가 아이를 임신하자 더 이상 이 곳에서의 직장 생활은 어렵다고 판단했다. 나는 가족과 함께 하는 시간도 소중하다고 생각하는데, 이 곳에서는 그러한 삶이 어렵다고 결론 냈기 때문이다. 그래서 이직을 준비했다.

"

두번째 직장 이야기

"

그곳은 첫 직장보다는 여직원도 많고 남성성이 덜한 회사였다.

일부 사람들을 제외하고는 대체적으로 가정에서 행복을 찾는 사람들이 많았고, 강압적으로 업무 후 술자리를 강요하는 문화도 아니었다. 쉽게 말해 돈만 포기하면 가족과 함께 많은 시간을 보낼 수 있는 곳이었다.

내가 육아휴직을 낼 수 있었던 것도 이런 회사분위기에 기인한다. 만약 내가 첫 직장에 그대로 남아 있었다면 남자가 육아휴직을 낸다는 것은 불가능한 일이었다.

육아휴직을 낼 수 있었기에 첫 해는 가족들과 같이 캐나다에서 생활할 수 있었고, 시애틀, 옐로우스톤, LA, 애너하임 등 그 많은 북미 여러 곳을 여행할 수 있었다. 아이들과의 추억 공유를 통해 관계가 돈독해진 것은 두말할 필요가 없다.

그렇게 1년의 시간을 같이 보낸 후 나 홀로 한국에 돌아와 회사에 복직했다.

그런데 회사에 돌아와보니 같은 팀에 나와 나이 차이가 꽤 나는 직원들이 상당 수 포함되어 있었다. 즉, 흔히 말하는 MZ 세대와 같은 팀이 된 것이다.

"

MZ 세대는 정말 달랐다.

"

임원이 참석한 올해 첫 회식자리에서 그들은 술을 못 마시기 때문에 자신들은 콜라를 먹겠다며, 콜라를 마셨고, 2차는 내일 집에 일이 있어 참석이 어렵다며 집에 갔다.

맡긴 업무는 열심히 하지만, 업무 외 회식이나 보여주시기식 야근은 강하게 지양했고, 회식자리에서 임원이 있다고 하여 억지로 술을 마시거나 비위를 맞추기 위해 웃어주는 일도 없었다.

또한, 팀이 점심을 먹으로 밖에 나왔을 때도 팀의 막내라고 물을 따르거나 수저를 놓는 일도 거의 하지 않았다.

나와는 정말 다른 세상을 사는 사람들이었다.

내 또래나 그 이상의 나이대에서는 그런 모습을 나쁘게 보는 사람들도 있지만, 나는 그렇게 보지 않는다. 물론 나도 인간이기에 좀 억울한 면은 있지만, 나도 사회 초년생일 때 이런 사회의 모습을 그려왔었다. 그게 합리적이라 생각했기 때문이다. 그들의 말대로 회사는 일하러 오는 곳이지 강제로 술을 마시거나 어울리기 위해서 오는 곳이 아니기 때문이다.

"

아직은 변화를 온전히 받아들이기 어려운 사회

"

내가 이런 일들을 친구들에게 말하면 친구들은 나를 이상하게 쳐다본다. 자기는 이해할 수 없다는 것이다. 그도 그럴 것이 친구들은 아직도 회사 선배들이 술 마시러 가자고 하면 자신의 의지와 상관없이 따라간다. 선배들이 일을 몰아주면 두말하지 않고 묵묵히 일을 한다.

옛날 사람인 것이다.

그러나 나는 장차 우리 아이들이 살아가야 할 사회고, 나도 그런 꼰대 문화에 피해를 입은 사람이기에 이렇게 사회가 조금씩 조금씩 변하는 것이 나쁘지 않다고 본다.

자기가 당한 만큼 그대로 해야 한다면 이 사회가 어떻게 발전하고, 변화하겠는가.

당한 것만 생각하면 나야말로 할말이 많은 사람이다.

신입사원 때 회의실에 끌려가 온갖 막말을 다 들어봤고, 마시지도 못하는 술을 거의 매일 마신 적도 있으며, 자기들과 성향이 다르다는 이유로 왕따까지 당했다.

그래도 나는 우리 아이들이 살아갈 사회는 나 때와는 많이 다른 사회였으면 좋겠다.

비워야 살아남을 수 있는 사회

기러기아빠의 직장 생활 잘하는 법

"

비워야 살아남는다

"

회사 생활을 하며 내가 내 아이들에게 해주고 싶은 말이 '비워야 살아남는다'이다. 적어도 한국사회에서는 그래야 한다.

그럼 무엇을 비워야 할까.

첫째, 머리를 비워야 한다.

내가 만난 최악의 직장상사 중 한명이 있다.

이분은 자기는 샤워할 때도 회사 일만 생각한다며, 너희도 집에서 일만 생각하라고 했다. 그런데 이 분은 정작 본인이 팀원일 때는 근태 조차 제대로 지키지 않았다. 이분 별명이 10시출근 5시퇴근이었으니

그런 분이 이제 직책을 가졌다고 말을 바꿔 열심히 일 하라고 하니 기가 막혀 말이 안 나올 뿐이었다. 그러다 보니 존경심이 전혀 생기지를 않았고, 결국 몇 번 부딪힌 끝에 좋지 않게 관계가 마무리 됐다.

그러나, 이제와 돌이켜 생각해보면 나는 세련되지 못했다.

사회생활을 하며 어떻게 마음에 드는 상사만 만날 수 있겠나. 직장상사가 내로남불식 상사라 해도 그렇게 나의 속마음을 드러냈으면 안됐

다. 왜냐하면 결국 직장생활은 직급이 깡패고, 상사가 그렇다면 그런 가보다 해야 하는 곳이기 때문이다. 즉, 머리를 비우고 할 일에만 집중하면 되는 곳이다.

둘째, 마음을 비워야 한다.

내 최대 단점은 회사일을 집에까지 가지고 오는 것이었다.

즉, 회사에서 좋지 않았던 일들을 마음에 담아두고 퇴근 후 집에까지 그걸 끌고 오는 것이다.

이러면 회사에서 받은 스트레스를 관리하기가 어렵다. 결국 스트레스는 점점 배가되고 그것이 나를 잡아먹는 순간에까지 다다른다.

물론 나도 그게 잘 안돼서 너무나 고통스러운 순간들이 많았다. 그래서 취미를 갖는 것이 중요하다. 나 같은 성격이 취미까지 시체놀이이면 스트레스를 관리하는 것이 더 힘들어진다.

그래서 우리 부부는 아이들이 예체능에 취미를 갖게 해주려고 노력 중이다. 큰 아이에게는 수영, 스케이트, 스키, 펜싱, 야구, 농구 등 각종 운동 및 바이올린을 가르친다. 둘째 아이에게도 축구, 야구, 농구, 스케이트 등 각종 운동 및 피아노를 가르치고 있다.

또한, 틈만 나면 아이들과 캠핑을 다니고 여행을 다니는 이유도 이런 데 있다. 스트레스를 관리하고 호연지기를 배울 수 있게 해주기 위한 것이다.

"
내가 생각하는 직장생활 잘하는 방법
"

첫째, 회사 생활과 내 사생활을 철저히 분리하는 연습을 해야 한다.

일부 직장 상사들은 집에서도 회사 업무를 생각하라고 한다. 그러나 그것은 잘못된 방식이다. 오히려 퇴근 후 회사 생활을 까맣게 잊어야 회사생활을 더 행복하고 길게 할 수 있다.

회사생활은 100m 달리기가 아니라 마라톤이다. 빠르게 느리게 완급 조절을 해야 하는 것이다. 그런데 빠르게 달리기만 한다면 금방 지쳐 버린다.

둘째, 취미를 가져야 한다.

회사생활이라는게 마음에 안 맞는 사람들과 마음에 안 드는 업무를 할 수도 있다. 즉, 아무리 긍정주의자라고 해도 스트레스를 받지 않을 수 가 없다. 이 경우 취미를 가지고 있다면 많은 도움이 된다. 자기가 좋아하는 취미를 가지고 있는 사람과 없는 사람은 스트레스 관리에도 큰 차이가 날 것이기 때문이다.

셋째, 무엇이 됐든 구체적인 목표를 가져야 한다.

회사생활을 하면 챗바퀴 도는 생활에 싫증이 날 때가 온다. 그 이유는 자기가 이런 재미없는 생활을 언제까지 해야 하는지 막연해서이다. 즉, 종기가 없기 때문이다. 그래서 목표를 가져야 한다. 그 목표가 재산이라면 언제까지 얼마를 모아, 무엇을 살 것인지를 구체적으로 정하고 하나 하나 이루어 나가야 하고, 그것이 나 같은 작가의 꿈이라면 책을 언제까지 몇 권 내겠다는 목표를 설정해야 한다.

내가 롤모델로 잡는 산경 작가는 매일 매일 웹소설을 썼고, 결국 '재벌집 막내아들'이 큰 인기를 끌며 큰 수익이 발생하자 회사를 그만두고 전문 작가의 길로 들어섰다.

또한, 내 친구 중 한명은 매일 매일 부동산 임장을 다니고, 부동산 공부를 했으며 유투버를 찍었다. 결국 부동산 상승기 때 이름을 널리 알리게 되어 지금은 유명 부동산 유투버가 되었고, 수천만원의 돈이 벌리자 지금은 회사를 그만두고 부동산 관련 회사를 차렸다.

아직은 어린 나의 아이들이 나중에 직장생활이나 사회생활을 하면 나는 술 한잔 기울이며, 해주고 싶은 이야기가 있다.

준비가 되어 있는 자는 어떠한 곤욕도 웃으며 지나칠 수 있다. 그러기에 내일 회사를 나가도 지장이 없을 정도의 능력과 목표를 갖춰라.

내가 그 유명 유투버 친구야

기러기아빠의 삶의 태도이야기

누구나 세상을 살다 보면 후회하는 기억들이 하나쯤은 있지 않을까 싶다. 나 역시 그런 기억이 있다.

"

회사를 이직한 후 자격증 공부에 매달린 것이다

"

회사를 이직한 후 얼마 지나지 않아 우리 큰 아이가 태어났다. 즉, 회사생활에 육아가 더해진 것이다. 사실 이것만 해도 엄청난 일인데, 나는 이직을 하면 꼭 해보고 싶었던 것이 있었다. 바로 전문자격증을 준비하는 것이다.

지금 생각해보면 말도 안되는 계획이었다. 회사생활을 하고, 육아를 하고, 거기에 전문자격증까지 따려 했으니 말이다. 결국 주중에는 퇴근 후 밤 11시까지 학원 수업을 들었고, 토요일에는 오전9시부터 밤 10시까지 학원 수업을 들었다. 그리고 일요일에는 육아를 했다. 나는 밥 조차 제대로 먹지 못하고 그런 무리한 일정을 소화한 탓에 대상포진과 불합격이라는 결과만을 얻게 되었다.

내가 그렇게 9년이라는 시간을 헛되이 쓰는 동안 내 지인은 부동산 재테크를 하고 유투버로 착실히 커리어를 쌓았다. 그렇게 많은 돈을 벌었고, 부동산 관련 책도 몇 권 썼으며, 점차 유투버로서 명성을 갖게 되었다. 결국 지금은 유명 부동산 유투버가 되어 회사를 그만두고 자기 사업을 하고 있다.

"

내가 그 유명 부동산 유투버 친구야

"

지금에 와서 돌이켜 보면 10년 전만 해도 내가 사람들 앞에서 그 친구의 지인이라는 사실을 자랑하듯 떠들게 될 줄은 몰랐다.

마치 연예인 친구라도 있는 듯 부동산에 관심있어 하는 사람들에게 그 친구의 필명을 이야기하면 대부분은 그런 사람과 친구냐며 놀라고는 한다.

사실 나는 그 친구의 성공을 보기 전까지만 해도 인플루언서나 유투버가 그렇게 까지 파급력이 높은 사람들인 줄 몰랐다. 그러나 그 지인을 통해 인플루언서가 연예인 급의 엄청난 파괴력을 가진 사람이라는 것을 알게 되었다.

그런 생각을 하니 전문자격증에 매달려 시간을 낭비한 나의 과거가 정말 한심스러웠다.

공부를 해서 전문자격증을 따고, 전문자격사로서 내 노동력을 이용해 돈을 버는 것만이 성공이라는 구태연한 사고방식이 내 발목을 잡은 것이다.

그때의 실패를 통해 깨달은 것이 있다면 실천력 보다 중요한 것이 현 상황을 냉정하게 파악하고 가능 여부를 분석하는 냉철함과 분석력이 라는 사실이다.

따라서 만약 내가 과거로 돌아간다면 나는 먼저 현 상황에서 그것이 가능한지를 냉철히 분석하고 그것이 어렵다면 다른 대안을 찾을 것이 다.

66

결국 직장인의 꿈은 경제적 자유

66

직장인들에게 꿈이 뭐냐고 물어보면 대부분 자기가 하고 싶은 일을 하 며 사는 것이라고 대답할 것이다. 이를 사람들은 '경제적 자유'라고 부 른다.

나 역시 전문자격증을 따서 돈을 벌면 경제적 자유를 누리고 싶었다. 그런 의미에서 돈을 벌려는 목적은 결국 경제적 자유인 것이다.

그렇다면 경제적 자유를 얻는 여러 방법 중 나한테 맞는 방법을 찾으 면 된다. 그래서 고지식함은 그 방법을 찾는데 해가 될 수 있다. 나 역 시 그 고지식함 때문에 오로지 한가지 방법만을 고수했고, 결국 큰 낭 패를 본 거라고 생각한다.

열린 마음, 열린 사고가 사회를 살아가다 보니 그 무엇보다도 중요하 다는 사실을 항상 깨닫게 된다.

나를 믿어줬던 단 한 사람

기러기 아빠의 직장 상사이야기

회사생활 20년 가까이 하면서 이제와 돌이켜보면 내가 진심으로 존경했던 직장상사는 한 분 뿐이었다. 이직 전 회사에서 내가 모셨던 마지막 임원분이다. 또한, 유일하게 나를 100% 신뢰해 줬던 분이다.

이직 전 회사에서 나는 누구보다 일찍 출근해서 누구보다 늦게 퇴근했다. 그런 모습을 보며 조용히 고개를 끄덕이시더니, 팀의 선임에게 주던 우수사원상을 막내인 내게 주라고 지시하셨다.

그 전까지만 해도 자기랑 술을 얼마나 자주 먹는지를 인정의 기준으로 삼던 임원만 봤던 나에게 그 분은 신선한 충격으로 다가왔다.

이후 이직하겠다고 말씀드렸을 때 정말 며칠 동안 나를 잡으셨다. 당시에는 너무나 죄송한 마음이 들었지만, 이 회사에서 몇 십년을 더 생활한다는 건 나에게나 우리 가족에게 못할 짓이라고 생각해 이직의 뜻을 굽히지 않았다.

한편으로는 나를 믿어주는 상사를 또 만날 거라는 믿음도 어느정도 있었다. 그러나 그게 잘못된 생각이란 걸 깨닫는 데는 그리 오래 걸리지 않았다.

이직 후 나는 새로운 회사에서도 많은 직장 상사를 경험했는데, 나와 맞는 직장 상사를 만난다는 건 여간 어려운 일이 아니었다.

그러던 와중에도 자기와 맞는 직장상사를 만나 날개를 달고 훨훨 날아다니는 동료들을 볼 때면 부럽기도 하고 씁쓸하기도 했다.

재미있는 사실은 그 팀에서는 그렇게 인정받던 사람이 다른 팀에서는 평범한 직원으로 전락하는 모습을 여러 번 봤다는 것이다.

즉, 인정이란 절대치가 아닌 상대치라는 것이다. 그래서 자기와 궁합이 맞는 직장상사를 만나는 것이 어려운 것이고, 그런 직장상사를 만나면 껌딱지처럼 딱 달라 붙어있어야 한다.

불행히도 나는 이직 후 그런 상사를 만나지 못했고, 결국 지금은 회사보다 가정에서 행복을 찾으려고 노력하고 있다.

간혹 이런 이야기를 하면 사람들이 묻고는 한다. 이직해서 불행한지. 그런 상사를 다시 못 만나서 불행한지.

그러나 그런 상사를 못 만났기에 가정에 충실할 수 있었고, 육아휴직도 낼 수 있었기에 후회는 하지 않는다.

다만, 우리 아이들에게는 혹시라도 사회에서 궁합이 잘 맞는 상사를 만나게 되면 반드시 그 인연을 끊지 말라고 말해주고 싶다.

신사의 품격말고 부모의 품격

기러기 아빠의 육아 고민

예전에 신사의 품격이란 드라마가 있었는데 상당한 인기를 끌었다.

여기서 품격이란 사람된 바탕과 타고난 성품을 말하는 것이다.

"

그래서 요즘 나는 부모의 품격에 대해 고민하고 있다

"

신사에게만 품격이 있을까 부모에게도 품격이 있다. 자식을 키우며 보여지는 성품이 그것이다. 이러한 부모의 품격은 시대에 따라 달라졌는데, 부모란 자식에게 위엄이 있어야 하고, 자식은 부모의 결정에 따라야 하던 시절이 있었다. 그래서, 부모와 자식의 관계는 상호소통이 아닌 일방적 소통을 했다.

이러한 소통방식의 최대 장점은 부모 입장에서 편하다는 것이다.

그냥 아버지는 본인의 의사에 따라 이렇게 하라고 명령하면 되고, 말을 듣지 않으면 혼을 내는 등의 강압적 방법을 쓰면 됐다.

그러나 이러한 방식은 단점도 분명 존재하는데 자식과의 거리가 멀어질 수 있다는 것이다. 자신의 의사를 무시하고 일방적 소통을 하는 아버지를 어떤 자식이 좋아하겠나

한때 내 팀장이었던 분도 집에서 일방적 소통방식을 고수했다. 결국 그 아들과 사이가 극도로 나빠졌고, 아들은 아버지의 바램과 달리 전문대에 입학했다. 이런 경우는 주위에서 자주 볼 수 있었다.

그러나, 요즘은 상호소통을 하는 부모들이 많아졌다. 자식의 마음을 이해하려는 것이다. 더욱이, 요즘 아이들은 자기 중심적인 사고를 많이 하기 때문에 일방적 소통방식에 대한 거부감이 극도로 높다.

그래서 부모들은 아이들과 대화도 많이 하고 여행도 다니면서 아이들의 생각과 마음을 이해하려 한다.

그런데, 여기서 문제가 있다. 아이들은 아직 정신적으로 성숙하지 못한 상태이기 때문에 어른들과 달리 소통을 하는 방식이 미흡하다.

그래서 말도 안되는 상황에서 고집을 부리거나 말이 아닌 행동으로 자신들의 의사표현을 한다.

나 역시 아이들의 의사를 파악하고 소통을 하는 것이 쉽지 않다. 그래서 내가 선택한 방법은 무엇을 결정하기 전 아이들에게 지금의 상황을 설명하고, 각 선택지의 장단점을 설명한다. 그리고 어떤 것을 원하는지 물어본다. 물론 아이들은 처음에는 이해를 제대로 못한다. 그러면 다시 설명을 하고 각 선택지의 장단점을 또 설명한다. 그러다 보니 정말 노가다도 이런 노가다가 없다. 이러한 의사전달 방식 역시 장단점이 명확하다.

장점은 아이들과 많은 대화를 통해 친근함을 유지할 수 있고, 아이들의 생각도 알 수 있다는 것이다.

또한, 단점도 명확하다. 너무 훈육이 힘들다. 그래서 일부 부모는 결국 설득을 포기하거나 자식들에게 끌려 다니기도 한다. 이는 일관적이지 않은 훈육스타일로 인해 아이들에게 혼란을 야기할 수 있기에 최악의 선택이라 할 수 있다.

나도 아이들을 설득하다 설득이 안되면 화를 내기도 한다. 그러기에 아이들을 차분히 끝까지 설득하는 부모를 보면 정말 존경스럽다.

기러기 생활이 끝나고, 다시 아이들에 대한 훈육의 시간이 오면 내가 잘 할 수 있을지 걱정이 되는 부분이기도 하다.

요즘 세상에 부모가 부모의 품격을 갖춰 아이들을 제대로 훈육한다는 것은 정말 힘들고 험한 길인 것은 분명하다.

기러기아빠 그 마지막 이야기

가족을 만나러 가기 전

"

돌이켜 생각하면

"

기러기 아빠가 된 후 처음에는 잠도 못 이룰 만큼 힘들었다. 또한 난생 처음 가족들과 떨어져 지냈기에 무기력증, 우울증에 빠져들기도 하였다. 뿐만 아니라 1년만에 하는 회사생활은 나를 더욱 정신없게 만들었다. 그래도 나는 처음의 계획대로 알차게 시간을 보내기로 했다.

첫째, 구체적으로 내 미래에 대해 생각을 하게 되었다.

그래서 미래에는 작가로 살기로 결심하고 소설을 쓰고 SNS를 했다. 또한, 브런치에도 글을 남기게 되었다.

둘째, 노후에도 즐길 수 있는 운동을 배우기로 결심했다.

그래서 골프를 배우기 위해 골프수업에 등록하고 매주 3번씩 골프를 쳤다. 옆구리 통증까지 얻을 정도로 열심히 배웠던 것 같다. 지금은 캐나다에 있을 때보다 골프 실력이 조금은 나아진 것을 느낀다.

셋째, 처음으로 간 어머니와의 해외여행이다.

캐나다에 있을 때 어머니를 모시지 못한 것이 마음에 걸렸다. 그래서 한국에 돌아가면 어머니와 해외여행을 가려고 생각했다. 그리고 한국에 돌아와서 실제 어머니와 일본으로 해외여행을 갔다. 이는 정말 좋은 추억으로 남았고, 지금 생각해도 정말 잘한 일이라고 생각된다.

"

이틀 후면 나는 가족들을 만나러 캐나다에 간다.

"

드디어 기러기 아빠 생활이 끝나는 것이다. 그리고 우리 가족도 2년 동안의 캐나다 생활을 우선은 끝마친다. 그렇다고 나의 고민이 끝나는 것은 아니다.

아이들을 키우기 더 좋은 환경으로 이사도 해야 하고, 아이들 공부도 신경 써야 한다. 그리고 혹시 모를 캐나다 이민 준비도 해야 한다.

그 와중에 작가로서의 인생도 준비해야 한다.

정말 인생은 끝없는 도전의 연속이라더니 하나가 끝나면 또 하나를 도전해야 한다. 그래도 가족들을 위해 난 또 도전할 계획이다.

컴백 그리고 새로운 도전

캐나다 입국부터 한국 귀국까지

마지막 나홀로 캐나다 입국이었다. 여름휴가때는 캐나다에 나홀로 입국할 때부터 나홀로 귀국하는 것이 두려웠다.

이번에는 나홀로 한국에 귀국하지 않기에 마음이 편할 줄만 알았다.

그러나 의외로 마음이 무거웠다. 입국 당시만 해도 비행 전날 연말회식으로 술을 엄청 마셨기에 몸이 안좋아서 그런 줄로만 알았다.

"

캐나다 입국 후 첫 주

"

캐나다 입국 후 첫 주는 캐나다에서의 일상생활을 즐겼다. 아이들을 학교에 보냈고, 캐나다 학부모들과 차 한잔하며 수다도 떨었다. 또한 장도 보고 요리도 하며 하루를 보냈다.

새삼스레 깨달은 거지만, 캐나다에서 좋은 이웃들을 많이 만났고, 아이들은 캐나다의 아이들처럼 밝게 자랐다.

그러나, 이제 이 생활을 마치면 그 좋은 이웃들과 헤어져야 하고, 아이들은 치열한 경쟁 속으로 들어와야 한다. 그래서 내 마음이 계속 무거웠던 것 같다.

첫 주 주말 우리 가족은 마지막으로 캐나다 스키장에 가기로 했다. 항상 캐나다 스키장을 갈 때마다 느끼는 거지만 캐나다의 자연환경은 그림 그 자체다.

<캐나다 스키장은 절경 그 자체다>

한편 신기한 건 여기 캐나다 스키장은 눈이 오지 않아도 인공 눈을 뿌리지 않는다는 사실이다. 그런 탓에 날씨가 따뜻할 때면 눈위에서 스키를 타는지 흙바닥에서 스키를 타는지 모를 때가 많다.

우리 가족이 갔을 때도 따뜻한 날씨로 일부 코스가 막혀 있었다. 그 부분은 다소 아쉬웠으나 우리 가족이 함께 할 수 있다는 사실에 감사했다.

그리고 집 근처 캐나다 크리스마스 축제에도 가봤다. 축제라고 하지만 크리스마스 장식을 한 기차에 고작 크리스마스 캐롤이 흘러나오는 수준이었다. 그런데도 행복한 얼굴로 축제를 즐기는 캐나다 사람들의 모습에서 이제는 한국에서 찾아보기 힘든 수수함을 느낄 수 있었다.

<크리스마스 축제로 많은 인파가 몰렸다>

그 기차 앞에서 아이들을 꼭 안고 사진을 찍는데 이게 행복이라는 생
각이 들었다. 나름 기러기 아빠라고 가족들을 보지 못한 그리움에 많
이 지쳐 있었던 것 같다.

"

캐나다 입국 후 둘째 주

"

캐나다에서의 마지막 주였다. 그러기에 즐거움보다는 아쉬움이 계속
묻어났다. 그리고 2년간 살았던 집에서 짐 정리를 모두 끝마치고 밖으

로 나와 마지막 산책을 즐겼다. 와이프는 캐나다에서의 마지막 노을을 보며 하염없이 눈물을 흘렸다.

<캐나다의 저녁노을은 너무나 이뻤다>

그런데, 그날부터 갑자기 둘째 아이가 40도 고열과 심한 기침을 하기 시작했다. 심한 열감기가 온 것이다.

우리는 캐나다를 떠나기 하루 전 공항 호텔에서 묵기로 했는데, 그 호텔로 향하던 날에도 둘째 아이는 차 안에서 계속 기침을 하고, 열이 높았다. 호텔에서 겨우 하룻밤을 지낸 우리는 공항으로 향했는데, 우리와 친하게 지낸 학부모 가족이 우리를 마중 나왔다. 너무나 감사했고 가슴 한 구석이 뭉클했다.

그런데 그때 다시 둘째아이가 열이 오르기 시작했다. 우리는 아이에게 해열제를 먹이고 겨우겨우 한국행 비행기에 몸을 실을 수 있었다.

둘째아이는 비행기 시간 내내 누워있었다. 오랜만에 타는 비행기라고 그렇게 들떠 있었는데, 하필 딱 그 타이밍에 아파 누은 것이다.

그래도 무사히 한국에 도착할 수 있었고, 그렇게 나의 기러기 아빠 생활은 끝이 났다.

기러기 아빠 그 후 3개월 (상)

아이들의 한국 적응기

66

아빠! 나 좋은 친구가 많이 생겼어

66

한국으로 돌아온 후 큰 아이와 작은 아이가 초등학교 3학년, 6학년으로 학교에 간 첫날 나는 내심 걱정이 되었다. 2년만에 한국에 돌아와서 바로 학교에 갔기 때문에 혹시나 아이들이 적응을 못 할까 봐 걱정이 된 것이다.

그러나 역시 기우였다. 우리 아이들은 내가 생각했던 것보다 강했다. 생각해보면 영어도 잘 못하는 상황에서 한국사람도 별로 없는 캐나다 학교에서도 적응한 아이들인데, 한국학교 적응은 너무나 쉬운 수준이었다. 학교에서 돌아온 둘째 아이는 학교 급식이 맛있다며 너무 좋아했다.

큰 아이는 아이들이 친절하다면 좋아했고, 반에서 부회장까지 맡았다. 새로운 한국 친구도 만들었는데, 그 친구도 미국에서 살다가 이번에 전학 온 친구라서 우리 아이와 코드가 잘 맞았다.

그러나 여전히 걱정되는 부분도 많다. 한국은 경쟁이 심한 나라인데, 우리 아이들이 잘할 수 있을지도 걱정이고, 또한, 아이들의 장래도 잘 설계해줘야 한다. 요즘은 아이들 공부가 어른 공부라고 하지 않나. 그만큼 부모의 정보력, 계획력이 아이의 장래를 결정한다.

또한, 첫째 아이의 ADHD도 잘 해결해야 한다. 큰 아이는 ADHD가 있어 꾸준히 병원을 다녔다. 다만 캐나다에서는 한국만큼 체계적인 진료를 받지 못했기에 한국에서 좀 더 체계적으로 병원을 다니려 한다. 아이들이 잘할 거라고 믿지만, 항상 걱정되는 것이 부모의 마음인 것 같다.

기러기 아빠 그 후 3개월 (하)

우리 부부의 한국 적응기

처음에는 귀국하자마자 와이프는 바로 회사에 복직을 할 생각이었다.

그러나 아이들 걱정에 귀국 며칠 전 나에게 복직을 미루고 싶다고 말했고, 그렇게 하기로 결정했다.

그로인해 금전적 압박은 조금 더 받게 되었지만, 지금은 아이들이 우선이기에 그렇게 결정을 했다.

"

귀국 후 와이프는 아이들의 적응을 돕고 있다

"

귀국 후 와이프는 아이들 생활 패턴을 잡아주려고 부단히 노력 중이다. 공부하는 습관에서부터 생활 습관까지 하나하나 아이들과 이야기하며 습관을 잡아주려 애쓰고 있다.

그리고 국내외 여행도 계획 중에 있다. 그렇기에 경주여행, 하와이 여행 등 많은 여행이 우리 가족을 기다리고 있다.

북미에서부터 시작된 여행이 이 곳 한국에서도 계속 이어지는 것이다.

그 와중에 본인 영어공부도 틈틈이 하고 있다.

예전 살던 곳에서 친하게 지내 던 이웃이 우리 부부에게 그런 말을 한 적이 있었다.

"지금 이루어 놓은 것만으로도 괜찮은 삶을 살 수 있을 것 같은데, 왜 맨날 그렇게 도전하며 힘들게 사세요"

그 질문에 우리 부부의 대답은 이랬다.

"성격이 그래요. 안주하지 못하고 항상 도전하고 또 힘들어하고"

우리 부부의 삶은 항상 그랬다. 도전하고 힘들어하고를 반복하는 삶이었다. 아마 우리는 한국에서의 삶이 어느정도 안정이 되면 또 다른 도전 목표를 찾아 헤맬 것이다. 그리고 그 목표가 정해지면 이제까지 했던 것처럼 그 목표를 향해 도전하는 삶을 이어갈 것이다.